La psychologie
de l'amour
romantique

Couverture
- Illustration:
  MICHEL BÉRARD
- Maquette:
  MICHEL BÉRARD

Maquette intérieure
- Conception graphique:
  GAÉTAN FORCILLO

DISTRIBUTEURS EXCLUSIFS:

- Pour le Canada:
  AGENCE DE DISTRIBUTION POPULAIRE INC.*
  955, rue Amherst, Montréal H2L 3K4 (tél.: 514-523-1182)
  *Filiale de Sogides Ltée

- Pour la France et l'Afrique:
  INTER-FORUM
  13, rue de la Glacière, 75013 Paris (tél.: 570-1180)

- Pour la Belgique, la Suisse, le Portugal, les pays de l'Est:
  S.A. VANDER
  Avenue des Volontaires 321, 1150 Bruxelles (tél.: 02-762-0662)

Docteur Nathaniel Branden

La psychologie de l'amour romantique

traduit de l'américain
par
Christine Balta

Centre interdisciplinaire de Montréal Inc.

5055, avenue Gatineau Montréal H3V 1E4 (514) 735-6595

Les Éditions de l'Homme*

CANADA: 955, rue Amherst, Montréal H2L 3K4

*Division de Sogides Ltée

Ce livre a été publiée en américain sous le titre:
The Psychology of Romantic Love
chez J.P. Tarcher Inc.

Bibliothèque nationale du Québec
Dépôt légal — 2e trimestre 1981

ISBN 2-7619-0171-1

À Patrecia Wynand Branden

L'amour romantique est pour les adultes; il n'est pas pour les enfants, au sens littéral et psychologique du terme. L'amour romantique n'est pas destiné à ceux qui, indépendamment de leur âge, se vivent comme des enfants.

Chapitre IV: Les défis de l'amour romantique

Remerciements

Je tiens à remercier le docteur Cheri Adrian qui a rassemblé et classé les divers écrits et conférences que j'ai effectués ces quinze dernières années sur le thème de l'amour romantique et qui, en plus de cette aide incalculable, a brillamment contribué à la réalisation de ce livre sur le plan de la recherche historique.

Je tiens également à saluer Jonathan Hirschfeld qui m'a aidé dans le domaine de la recherche historique.

Je remercie Barvara Branden qui, avec le docteur Adrian et M. Hirschfeld, m'a fait de précieuses suggestions concernant la rédaction de cet ouvrage.

Toute ma gratitude va à mon éditeur Jeremy Tarcher, pour sa sensibilité et son talent, ainsi qu'à Janice Gallagher, rédactrice hors pair dont le travail a contribué de multiples façons à rehausser la qualité de ce livre.

Enfin, je veux exprimer ma profonde reconnaissance à Devers Branden qui a vécu à mes côtés l'élaboration de ce livre. Sans ses nombreuses suggestions et le support affectif qu'elle m'a apporté, je doute que ce travail aurait pu être mené à bien.

Introduction

L'amour romantique, cette attirance passionnée entre un homme et une femme peut, suivant les cas, être la source d'une profonde extase ou celle d'indescriptibles souffrances. De par son intensité, la nature d'un tel attachement est mal comprise. Pour certains, qui associent "romantique" à "irrationnel", cet amour est une névrose passagère, une tempête sentimentale qui ne laisse derrière elle que déceptions et désillusions. D'autres ressentent l'amour romantique comme le porteur idéal, d'une certaine façon, du secret même de la vie.

Observant à quel point les relations amoureuses se vivent dans la confusion et la tragédie, bien des gens estiment que l'amour romantique n'a aucun fondement valable et qu'il n'est qu'un faux espoir. Ainsi, on s'engage de plus en plus dans des relations multiples qui n'exposent ni à l'intimité, ni à la vulnérabilité d'une relation intense et profonde. Certains ont totalement abandonné l'espoir de vivre un attachement passionné, jugeant cet espoir faux et pernicieux. L'amour romantique est également contesté aujourd'hui par bon nombre de psychologues, sociologues et anthropologues qui considèrent qu'il s'agit là d'un idéal illusoire faisant preuve d'une absence totale de maturité. Tout attachement profond cimentant une relation pleine et durable ne serait à leurs yeux que le produit névrotique de notre culture occidentale.

Nous avons tous été les témoins médusés de la "splendeur et décadence" de l'amour: des gens sincèrement amoureux, pleins de bonne volonté, d'espoirs et de confiance dans l'avenir voient leur relation se dégrader avec le temps, tristement, tragiquement, et mourir. Déçus, ils repensent alors au temps où ils étaient profondément amoureux, où tout semblait si bon et si juste, et ils sont déchirés de ne comprendre ni le comment ni le pourquoi de leur échec. Si cet amour-là est mort, quel autre amour pourra résister mieux que le leur? Ils se demandent s'ils revivront jamais un amour romantique, s'il est possible pour d'autres de le vivre. Ils se disent qu'il est peut-être temps de ranger ce beau rêve avec les jouets de l'enfance. Le jour arrive où l'on oublie toutes ces questions, où les angoisses du pourquoi et du comment font place à un sentiment d'engourdissement. On se console parfois en pensant, comme beaucoup d'autres, que c'est cela la maturité.

Et pourtant... on tombe toujours amoureux. Le rêve ne meurt que pour mieux renaître, semblable à une force vitale irréductible. Et le drame continue. Mus par une passion qu'ils n'expliquent pas, aspirant à un épanouissement qu'ils atteignent rarement, les gens sont hantés par la vision d'un but qu'ils ne parviennent pas à tuer en eux.

Cette "vision" refuse l'anéantissement pour la bonne raison qu'elle correspond à nos besoins les plus profonds. Quelle est donc la nature de ces besoins, de cette quête qui habite si fort notre esprit? Quels sont les obstacles qui se dressent entre nous et la réalisation de notre rêve? C'est à ces questions que nous tenterons de répondre tout au long de cet ouvrage.

Je tiens à préciser dès maintenant que je suis intimement persuadé que l'amour romantique n'est ni une chimère, ni une aberration, mais qu'il représente au contraire une des possibilités, une des aventures et un des défis majeurs de l'existence. J'écris avec la conviction que l'extase est non seulement un des facteurs constitutifs de notre vie émotionnelle, mais qu'elle est viable.

Je ne pense pas que l'amour romantique soit l'apanage de la jeunesse, ni qu'il s'agisse d'un idéal immature, sorti tout droit des romans à l'eau de rose et qui s'effondre devant la "réalité pratique". J'estime que l'amour romantique est exigeant, qu'il implique une évolution personnelle et de la maturité. Ces convictions constituent le thème central de ce livre.

L'amour unissant un être à un autre revêtant de nombreuses formes différentes, nous commencerons par donner une définition générale de l'amour romantique qui est le type d'amour qui nous occupe ici. *L'amour romantique est un attachement passionné, d'ordre spirituel, émotif et sexuel entre un homme et une femme, qui reflète une haute estime mutuelle.*

On ne peut donc parler d'amour romantique chez un couple qui ne ressent pas son attachement comme passionné et intense. Il doit exister de part et d'autre une affinité spirituelle, une même qualité de jugement qui se reflètent dans les prises de position et qui font du partenaire "l'âme soeur". S'il n'y a pas d'implication profonde sur le plan émotif, s'il n'existe pas une forte attirance sur le plan sexuel et si aucune admiration mutuelle ne circule dans un couple, cette relation amoureuse n'est pas romantique.

Il est inévitable que les jugements que nous portons sur l'amour, la sexualité ou les relations entre hommes et femmes comportent une part de confession personnelle. Nous parlons de ce que nous vivons. Ainsi, lorsqu'un psychologue aborde le sujet de l'amour, il ne peut éviter de se révéler lui-même, ce qui ne signifie pas que ses expériences l'empêchent d'avoir un jugement valable ou de faire une analyse générale, bien au contraire. Nos réflexions ne dépendent pas seulement de notre histoire intime; elles sont profondément enracinées dans notre vie et elles drainent consciemment ou non bon nombre des sentiments, des valeurs et des conclusions que nous pensons être "évidents".

Il serait malhonnête de ma part de nier le rôle qu'a joué, dans l'élaboration de ce livre, le fait d'avoir vécu passionnément amoureux d'une femme pendant quinze ans. Patrecia Wynand Branden est morte noyée le 31 mars 1977. Le matin même de ce jour, nous paressions au lit, faisant l'amour et parlant de la joie que nous ressentions d'être ensemble, joie unique, magique, revigorante. Lorsque Patrecia entrait dans la chambre, mon monde s'illuminait. Cela dura quinze ans. Il serait donc incorrect de prétendre que cette expérience n'a pas affecté mes réactions et mes sentiments quand, par exemple, j'entendais des collègues proclamer la mort inévitable de l'amour romantique, quelques mois, voire quelques semaines après le début d'une relation.

Mon expérience personnelle mise à part, j'ai élaboré ce livre en me servant de deux "sources" principales. La première est une tentative de questionnement et de compréhension des rapports entre hommes et femmes, en prenant comme point de départ des faits et des données accessibles à tous, une somme culturelle et historique. La seconde est mon expérience en tant que psychothérapeute et conseiller conjugal. J'ai eu l'occasion de travailler avec des milliers de personnes, ces vingt-cinq dernières années, et d'observer la nature du combat mené pour atteindre un équilibre sexuel et romantique. J'ai pu analyser les moyens que les gens utilisent si souvent pour saboter leurs propres désirs et leurs aspirations. De ces expériences multiples, j'ai tiré de nombreuses conclusions sur l'attente mutuelle, consciente ou non, des partenaires d'un couple, et sur la cause de tant d'échecs, de tant de souffrance et de tristesse dans des relations amoureuses. Plus récemment, j'ai été amené à diriger des ateliers de trois jours et demi à travers tout le pays, sur le thème: "L'estime de soi et l'art d'être" et

"L'estime de soi et les relations romantiques". Au cours de ces sessions intensives, j'ai pu tester et explorer à fond les idées et les conclusions qui forment ce livre.*

Il est utile de se rappeler que dans le passé, le concept d'amour romantique pris comme idéal et comme condition fondamentale du mariage était totalement inconnu, comme c'est encore le cas dans de nombreuses cultures non occidentales. Ce n'est qu'au cours des trente dernières années que certaines couches sociales appartenant à ces cultures se sont rebellées contre les mariages arrangés à l'avance par les familles et se sont tournées vers l'Occident pour y choisir le concept d'amour romantique qui est le nôtre. Tandis qu'en Europe occidentale l'idée d'amour romantique avait déjà une longue histoire derrière elle, c'est dans la culture américaine que son acceptation en tant que fondement même d'une relation à long terme et établie, comme l'est le mariage, s'est le plus largement répandue.

Nous verrons dans ce livre l'émergence du concept d'amour romantique qui dépasse de loin celui associé au concept de l'amour en Amérique. Disons qu'on le comprend mieux historiquement en opposant l'idéal américain à celui des cultures plus anciennes.

Les jeunes gens qui vivent actuellement en Amérique du Nord ont certaines idées sur le couple qu'ils formeront un jour, mais ces idées sont loin d'être universellement partagées. Pour eux, il est acquis que les partenaires se choisissent librement et volontairement et que ni la famille, ni les amis, ni l'Église, ni l'état ne peuvent ou ne devraient choisir à leur place. Pour eux, le choix ne repose pas nécessairement sur des considérations sociales, familiales ou économiques. La personnalité de

---

* Les renseignements concernant les cours intensifs peuvent être obtenus en écrivant à l'adresse suivante: The Biocentric Institute, P.O. Box 4009, Beverly Hills, CA 902 13.

chacun des partenaires est cruciale, de même que leurs différences, et le bonheur du couple se développera à partir d'un choix réciproque. Cette quête amoureuse semble normale et légitime. Enfin, celui ou celle avec qui on est prêt à partager sa vie, celui ou celle avec qui on s'épanouira sur le plan sexuel ne sont qu'une seule et même personne.

Cette notion moderne de l'amour aurait paru extraordinaire, voire inconcevable dans le passé. Nous verrons au chapitre I les moments forts du processus qui a permis à cette conception des rapports entre hommes et femmes de naître et de prévaloir en Occident. Le but de ce survol historique est de mieux cerner notre contexte actuel et de prendre le recul nécessaire pour mieux évaluer des comportements et des valeurs hérités du passé, qui vivent encore en nous et qui sont un obstacle à notre bonheur.

Nous aborderons des thèmes philosophiques, politiques, éthiques, littéraires, autant de facteurs déterminants d'une façon de penser et de la compréhension des problèmes que pose aujourd'hui l'amour romantique.

Au chapitre II, nous passerons de la dimension *socio-historique* à la dimension *psychologique* — ayant acquis une meilleure compréhension des racines et de la signification de l'amour romantique, non plus dans le seul contexte passé, mais dans ce *présent hors du temps* de la nature humaine. Nous examinerons les besoins psychologiques fondamentaux qui donnent naissance à cette soif d'amour que nous désirons tous assouvir. Nous pourrons alors mieux saisir comment nos relations amoureuses peuvent être source d'extase ou de souffrance.

Au chapitre III, nous étudierons les facteurs clés qui nous poussent à choisir telle personne plutôt qu'une autre ou en d'autres termes, notre processus de sélection. Nous aurons passé en revue les thèmes sur la nature de l'amour et sur sa naissance.

Au chapitre IV, nous réfléchirons sur ce qui amène l'amour à croître ou à mourir. Nous verrons les exigences psychologiques de l'amour romantique épanoui, ainsi que les défis qu'il nous lance, en décrivant les caractéristiques de l'évolution heureuse ou non d'une relation. Nous tâcherons d'approfondir notre compréhension de nos victoires et de nos échecs.

Ce livre n'est pas un manuel sur l'amour et la sexualité. Les analyses de situations ne doivent pas être prises pour des conseils. Le but de ce livre est de rendre l'amour romantique intelligible et de le célébrer comme une recherche humaine réaliste et enrichissante pour les gens de tout âge.

Chapitre I

Évolution de l'amour romantique

Prologue : amour et défi

Notre littérature regorge d'histoires d'amour passionnées qui constituent une part précieuse de notre héritage culturel. Les amours de Lancelot et Guenièvre, d'Héloïse et Abélard, de Roméo et Juliette sont de véritables symboles de passion charnelle et de dévouement spirituel, et le fait qu'elles soient toutes tragiques est très révélateur.

Les amants sont marquants, non pas parce qu'ils caractérisent la société de leur époque, mais parce qu'ils se révoltent contre elle. Les amants sont inoubliables parce qu'ils sortent du commun. Leur amour qui défie les codes moraux et sociaux est l'éternel vaincu.

L'anormalité de cet amour est implicite dans la nature même de ces histoires, implicite dans le fait que l'engagement des amants, leur attachement l'un à l'autre, constitue un véritable défi à leur société et à leur culture.

L'idéal de l'amour romantique va à l'encontre d'une grande part de notre histoire, comme nous allons le voir. Tout d'abord, c'est un amour individualiste: l'être humain est unique, irremplaçable; le choix et les différences entre les individus sont très importants. L'amour romantique est égoïste, non au sens mesquin mais philosophique du terme: l'épanouissement et le bonheur individuels sont les buts éthiques de l'existence, et l'amour romantique se base sur le bonheur individuel. C'est un amour temporel. Réunissant plaisirs physiques et spirituels, sexualité et amour, sentimentalité et vie quotidienne, l'amour romantique témoigne d'un attachement passionné à cette terre et au bonheur exaltant qu'elle nous offre.

Tous ces éléments font partie de la définition donnée dans l'introduction, à savoir: *L'amour romantique est un attachement passionné, d'ordre spirituel, émotif et sexuel entre un homme et une femme, qui reflète une haute estime mutuelle*; nous reprendrons ces éléments qui deviendront plus clairs au long de cet ouvrage. En étudiant l'interrelation entre individualisme et amour romantique, nous réévaluerons la notion d'*égoïsme* et dépasserons les idées reçues pour reconnaître le rôle indispensable d'un égoïsme rationnel, intelligent et éclairé. L'amour romantique ne saurait survivre sans un intérêt honnête pour l'ego.

L'âme des amants vibre d'une musique qui leur est propre. Elle fait partie de leur univers qui n'est partagé ni avec la tribu, ni avec la société. L'amour romantique repose en grande partie sur la reconnaissance et la célébration de cette musique intérieure.

Pertinence de l'histoire:
les thèmes récurrents

L'évolution des relations entre hommes et femmes va de pair avec celle de la conscience. Nous portons tous le passé en nous, somme de nos actifs et de nos passifs. Ce n'est qu'en prenant conscience de notre histoire et des étapes franchies par l'homme que nous pourrons comprendre nos conflits et nos blocages psychiques et vivre alors des relations heureuses.

Les relations entre hommes et femmes suivent au cours des siècles des mouvements très divers: progrès, régression, détours, remise en marche, autant de cheminements comparables à ceux de l'évolution. Le concept rationnel d'amour romantique est le fruit d'un long processus de développement.

Nous allons examiner ce processus pour mieux comprendre certains thèmes récurrents tant dans les cultures que dans les époques passées ou proches de nous.

La mentalité tribale: la non importance de l'individu

C'est l'économie et non l'amour qui fut la force et la motivation des unions dans les sociétés primitives, sociétés principalement de chasse et d'agriculture. La famille était la cellule "établie" pour maximiser les chances de survie physique. Les relations entre hommes et femmes étaient donc conçues et définies non en terme d'"amour" mais en terme de besoins pratiques, comme la chasse, la guerre, les récoltes et l'éducation des enfants.

Autant que nous puissions en juger, l'idéal d'amour était totalement absent dans les cultures primitives. Seul prédominait le fait d'assurer la survie de la tribu. Toute la vie de l'individu était subordonnée aux besoins et aux codes tribaux. C'était — et cela demeure — ce que l'on désigne par le terme de "mentalité tribale". L'individu n'était pas valorisé en soi, pas plus que ses pulsions sentimentales ou émotives.

De nombreuses études d'anthropologues éminents viennent corroborer ces arguments. Morton M. Hunt écrit, en 1960:

Dans la plupart des sociétés primitives, la vie sociale et la structure de clan offrent une sorte d'intimité "collective", qui se traduit par une très large distribution d'affection... la plupart des primitifs ne font pas une grande différence entre les individus. Ils ne s'impliquent donc pas dans des relations uniques, "privilégiées", comme c'est le cas dans le monde occidental. On a maintes fois observé la facilité avec laquelle le sujet primitif est capable de se détacher de l'objet aimé, et sa croyance candide dans l'interchangeabilité des amours. Le docteur Audrey Richards, anthropologue qui a vécu en 1930 dans les tribus Bemba, en Rhodésie du Nord, relate l'anecdote suivante: elle racontait la légende anglaise d'un jeune prince qui, pour obtenir la main de son aimée, escalade des montagnes de glace, franchit des abîmes et combat des dragons. Les Bemba gardaient le silence, visiblement stupéfaits. Enfin, un vieux chef demanda: "Pourquoi ne pas prendre une autre fille?", reflétant par cette simple question les sentiments de tout le groupe.

L'étude célèbre que fit Margaret Mead sur les Samoas, en 1949, démontre également que les structures psychologiques et le mode de vie de ces tribus ne laissent pas de place aux attachements émotifs profonds. D'un côté, on encourage la promiscuité et les relations sexuelles passagères, qui sont codifiées, de l'autre, on décourage fortement les liens émotifs.

Dans les lois qui régissent l'activité sexuelle de l'individu primitif, on rencontre fréquemment une peur, voire un antagonisme vis-à-vis la sexualité basée sur ce que nous appelons l'amour. En fait, l'acte sexuel est souvent accepté par la majorité si les motifs en sont superficiels. G. Rattray Taylor écrit en 1973:

Dans les îles Trobriand, les adultes ne s'opposent pas aux jeux sexuels ou à l'acte sexuel précoce chez les enfants; les adolescents peuvent dormir ensemble, à condition de ne pas être amoureux de leur partenaire. Si c'est le cas, l'acte sexuel est interdit et la promiscuité est jugée indécente.

Tout amour naissant est souvent codifié plus sévèrement que la sexualité. Notons qu'il existe rarement de terme précis pour désigner l'amour. Tout attachement passionné entre individus constitue une menace directe pour les valeurs et l'autorité de la tribu.

Il ne s'agit pas en fait du caractère primitif en tant que tel, mais de la mentalité tribale. On la retrouve dans *1984*, livre dans lequel G. Orwell décrit une société technologique avancée et l'emprise d'un état totalitaire qui écrase et broie l'individu. L'attitude méprisante de certaines dictatures actuelles, qui taxent d'"égoïsme petit bourgeois" tout désir d'individualisme, est trop connue pour que nous nous y attardions ici.

La mentalité tribale ancienne ou contemporaine voit l'amour romantique comme socialement subversif.

La perspective grecque: l'amour spirituel

Le concept d'amour existait dans la Grèce antique; il constituait même un des thèmes philosophiques de cette culture. On valorisait les liens spirituels et l'admiration mutuelle. L'originalité de ces relations réside dans le fait qu'elles sont totalement étrangères aux préoccupations quotidiennes du couple, ainsi qu'à l'institution du mariage.

Je ne pense pas pour ma part que seuls l'amour et le mariage justifient la sexualité. Le sexe, l'amour et le mariage sont trois phénomènes bien distincts, et nous verrons plus loin dans quels contextes ils sont en interrelation. Qui dit sexualité ne dit pas nécessairement amour, mais l'amour romantique va de pair avec la sexualité; et si l'amour n'entraîne pas nécessairement le mariage, ce dernier devrait être une conséquence normale de l'amour.

On connaît le culte que les Grecs portaient à la beauté physique. Cependant, ils voyaient l'individu constitué de deux éléments fort disparates: le corps, tant adulé pour son esthétisme, était dans le domaine de l'amour et de la sexualité la nature "basse" de l'être, tandis que l'esprit en était la constituante "supérieure". Les besoins et les désirs charnels étaient inférieurs à ceux de l'esprit.

Pendant logique de la dichotomie corps-esprit, celle de la raison et de la passion. Avoir une attitude raisonnable signifiait vivre le détachement pur et simple. La passion, ennemie de la raison, était l'échec inévitable de l'idéal rationnel.

Les Grecs idolâtraient les relations spirituelles, ce qui n'était possible à leurs yeux que dans l'homosexualité, généralement entre un homme d'âge mûr et un jeune garçon.

Bien que la prédominance de l'homosexualité en Grèce ait soulevé quelques controverses, il est clair que ce fut un facteur beaucoup plus marquant que dans notre culture et que de nombreux intellectuels la considéraient comme "l'expression de l'émotion humaine portée à son sommet" (Hunt 1960). Le désir sexuel passionné passait pour efféminé et malsain, alors qu'un amour passionnel homosexuel représentait l'idéal grec. Le partenaire âgé inspirait vertu et noblesse au plus jeune et leur amour élevait la spiritualité du "couple".

La culture grecque était fondamentalement anti-féministe. Les Grecs n'étaient pas indifférents à la beauté féminine, ni à l'hétérosexualité, mais ils considéraient les relations entre hommes et femmes comme dépourvues de sens éthique et spirituel. Platon et Aristote affirmaient l'infériorité physique et spirituelle de la femme. On enseignait aux femmes dès leur plus jeune âge qu'elles étaient les subordonnées de l'homme, à tous les niveaux. Le statut légal des femmes était quasi inexistant. Il leur fallait des garants et elles ne partageaient aucun des droits dont jouissaient les hommes. De plus, les esclaves accomplissaient alors les tâches et les fonctions pratiques traditionnellement réservées aux femmes. Déchues de leur rôle de partenaires assurant la survie, les femmes avaient bien peu d'importance dans la société grecque.

Lorsqu'il arrivait à un homme de tomber amoureux d'une femme, il n'en faisait pratiquement jamais son épouse. Il s'agissait généralement d'une courtisane, très éduquée et "entraînée" à stimuler l'homme mentalement et sexuellement. Être amoureux d'une telle femme n'en était pas moins méprisable.

En dehors de l'idéal qu'il incarnait et de l'admiration qu'il suscitait, "l'amour" n'était qu'une diversion superficielle et de courte durée. Quant à l'amour romantique tel que nous le concevons, ce n'était qu'une folie tragique, une affliction qui prenait possession d'un homme et qui l'éloignait de l'idéal grec, tant chanté, de calme et de tempérance.

La notion de "mariage d'amour" était par conséquent aussi absente du monde grec que de la société primitive. "Le mariage", écrit le poète Pallatas "n'apporte à l'homme que deux jours heureux: celui de ses noces et celui de l'enterrement de sa femme." Une femme était une charge financière, un obstacle à la liberté de l'homme. Cependant, l'homme devait à l'état et à la religion d'avoir des enfants et une maîtresse de maison. De plus, une nouvelle épouse venait avec sa dote. Le mariage était donc un mal nécessaire et une union inégale à la base.

La perspective romaine:
une vue cynique de l'amour

Le stoïcisme, philosophie dominante de Rome, voyait dans toute relation passionnée une menace pour le devoir. Énée, héros de l'épopée de Rome se détourne de la passion de sa maîtresse Dido pour suivre son devoir: fonder la république romaine. À l'instar des Grecs, les intellectuels romains considéraient la passion comme une sorte de démence.

Comme eux, ils ignoraient le mariage d'amour. Dans les classes sociales supérieures, les mariages étaient arrangés par les familles pour des raisons financières ou politiques; un homme se mariait pour "acquérir" une maîtresse de maison et une progéniture.

La culture romaine fit toutefois jouer à la famille un nouveau rôle sur le plan politique et social: elle permit la préservation et la protection de la propriété. La loi romaine veillait soigneusement aux transferts des propriétés d'une génération à l'autre. Il existait des lois complexes concernant les mariages entre citoyens romains de classes sociales différentes et ceux des autres occupants de l'empire. L'importance politique et culturelle de la famille rendit les relations entre époux plus significatives. La mythologie appelait une dévotion religieuse à la famille, prônant tout particulièrement la virginité chez les femmes célibataires et la fidélité des épouses. Quelques moralistes — et certains légistes — exigèrent aussi la fidélité des maris.

La valorisation accrue de la cellule familiale éleva la situation des femmes romaines qui accédèrent ainsi à un véritable statut légal se traduisant par une plus grande liberté, l'indépendance économique et le respect culturel. Il semblait alors logique qu'elles acquièrent l'égalité en amour, puisque c'est là une des bases de l'amour romantique qui ignore les rapports entre inférieur et supérieur, maître et subalterne.

Les épitaphes, la correspondance échangée entre époux et certains commentaires des observateurs de l'époque illustrent la force des liens conjugaux et l'existence d'unions longues et harmonieuses, voire affectueuses. La passion demeurait cependant très étrangère à la conception romaine du mariage.

À l'apogée et à la chute de l'empire, hommes et femmes recherchaient la passion, le piquant et le charme des relations adultères, en s'adonnant à des jeux amoureux dont on trouve les descriptions dans le célèbre *Ars Amatoria* d'Ovide. À l'apogée de l'empire, l'adultère était le "jeu" courant et nécessaire qui soulageait les individus de la médiocrité et de l'ennui du quotidien. Les aristocrates s'adonnaient à une sensualité frénétique et cynique, fidèle reflet de la décadence de Rome: un mélange vicieux d'amour et de haine, d'attirance et de répulsion, de désir et d'hostilité. Les descriptions d'Ovide et les poèmes de Catullus dédiés à Lesbia nous montrent des amants noyés dans la sensualité, se torturant avec des jeux subtils d'infidélité et de pouvoir. Il existe une abondante littérature qui dénonce la tyrannie des femmes accédant au pouvoir, comme cet extrait de la Sixième Satire de Juvénal:

La femme est tyrannique — d'autant plus si son époux est amoureux d'elle. La cruauté fait partie de la nature féminine. Les femmes tourmentent leurs maris, fouettent leurs servantes et prennent plaisir à faire flageller leurs esclaves jusqu'à ce que mort s'ensuive. Leur débauche sexuelle est répugnante — elles s'entichent principalement d'esclaves, d'acteurs ou de gladiateurs. Les entendre chanter ou jouer d'un instrument est une véritable plaie. Leur gloutonnerie et leurs beuveries suffiraient à écoeurer n'importe quel homme.

Paradoxalement, cette même culture qui donna naissance au premier idéal de bonheur domestique, au respect mutuel entre époux et qui fit du mariage une institution, sépara radicalement la sexualité de l'amour, et la passion de la sincérité. L'union du sexe et de l'amour, si fondamentale dans notre conception moderne, n'était admise que très rarement et, le cas échéant, avec un profond cynisme.

Le message du christianisme: l'amour sans sexualité

Aux deuxième et troisième siècles, en pleine décadence de l'empire romain, naissait une nouvelle force culturelle dont l'impact fut ressenti dans tout le monde occidental et qui affecta profondément les rapports entre hommes et femmes: le christianisme. Cette religion prônait l'ascétisme, en marquant une aversion féroce pour la sexualité ainsi qu'un mépris fanatique pour la vie terrestre. L'hostilité plus marquée encore pour le plaisir sexuel était plus qu'une caractéristique du christianisme: c'en était le fondement même. L'existence physique, le monde d'ici-bas constituaient une atteinte à la spiritualité. Le monde romain connaissait déjà ce type de doctrine avec le stoïcisme, le néoplatonisme et le mysticisme oriental. Cependant, le christianisme cristallisa ces tendances, profitant de la répulsion croissante qu'inspirait aux gens la décadence de leur époque et s'offrant ainsi comme "l'acide purificateur".

Saint Paul porta le concept grec de division entre le corps et l'esprit à un sommet jamais égalé auparavant en Occident. Il enseigna que l'âme est une entité séparée du corps, qu'elle transcende et qu'elle appartient à un monde coupé du corps et de la vie terrestre. Le corps n'est que la prison de l'âme. C'est le corps qui attire le péché, par le biais du plaisir et de la luxure.

Le christianisme proposait aux hommes et aux femmes un idéal d'amour excluant l'ego et la sexualité. Là encore, amour et sexualité se retrouvaient aux deux extrêmes: la source de l'amour étant Dieu, la source de la sexualité ne pouvait être que le Diable.

"Il est bon qu'un homme ne touche pas une femme", enseignait Saint Paul. Si les hommes manquaient de la fermeté nécessaire, alors "qu'ils se marient, car le mariage est préférable à l'envie de luxure". L'idéal moral était l'abstinence sexuelle pure et simple. Le mariage, décrit plus tard comme "le remède à l'immoralité", était la concession faite bien malgré soi aux dépravations de la nature. Il permettait tout de même aux gens d'accéder à l'idéal chrétien. Taylor écrit en 1973:

> L'Église médiévale était littéralement obsédée par le sexe, à un degré que l'on qualifierait aujourd'hui de pathologique. On peut même affirmer que l'idéal chrétien était un idéal "sexuel". Les lois chrétiennes, complexes et très élaborées, proscrivaient le sexe, procréation mise à part. L'accouplement proprement dit restait une très regrettable nécessité. On exhortait ceux qui s'en sentaient capables à l'éviter totalement, même s'ils étaient mariés. Quant aux misérables, incapables d'un tel renoncement, ils tombaient sous le coup de lois inextricables et d'interdits dont le but était de rendre l'acte sexuel aussi terne que possible et d'en réduire la fréquence au strict minimum. Ce n'était pas l'acte sexuel en soi qui était condamnable, mais bien le plaisir que l'on pouvait en tirer.

> Le désir entre personnes du sexe opposé était tout aussi condamnable que le plaisir. Étant donné que l'Église ne faisait aucune distinction entre désir et amour, on en arrivait très logiquement à interdire l'amour. Peter Lombard soutenait même qu'un homme très amoureux de sa femme commettait un péché pire que celui d'adultère.

Mis à part son rôle de "remède contre l'immoralité", le mariage était au Moyen Âge essentiellement une institution d'ordre économique et politique. À la fin du sixième siècle, l'Église exerçait une autorité politique déjà présente dans maints aspects de la vie séculière. Elle régnait en maître, codifiant sévèrement les relations entre hommes et femmes. L'autorité cléricale se substituait à celle des parents. Le clergé organisait et sanctionnait les mariages, et banissait le divorce ou le remariage si le pape n'accordait pas sa dispense.

Contrairement à l'optique moderne, l'Église considérait qu'amour et sexualité étaient un vice:

> Aux yeux de l'Église, un prêtre qui se mariait commettait un crime bien pire que celui d'avoir une maîtresse. Et avoir une maîtresse était bien pire que la fornication. Jugements surprenants, car ils renversaient toutes les conceptions séculaires de moralité où la qualité et la longévité des relations avaient une place importante. Le prêtre accusé d'être marié pouvait toujours se défendre en disant que sa relation était superficielle, non sélective, ce qui lui valait non pas une suspension totale mais une légère amende. (Taylor, 1973)

Les ébats d'un prêtre avec une prostituée n'étaient donc pas un bien grand péché. Par contre, aimer une femme et l'épouser, autrement dit affirmer sa vie sexuelle comme partie intégrante de sa personne, était un péché mortel.

Il est par conséquent logique et significatif que l'Église se soit élevée aussi violemment contre la masturbation, et non contre la fornication. C'est en effet par la masturbation que l'être humain découvre pour la première fois le potentiel de sensualité de son propre corps. De plus, c'est un acte égoïste par définition; et c'est aussi celui grâce auquel l'individu connaît une extase qui n'a rien à voir avec celle promise par la religion.

L'aversion de l'Église pour la sexualité allait de pair avec un antiféminisme viscéral. À la montée du christianisme, au Moyen Âge, les femmes perdirent virtuellement tous les droits qu'elles avaient acquis sous l'empire romain. Vassales des hommes, auxquels elles étaient totalement soumises, les femmes n'étaient en fait que des animaux domestiques. On se querellait pour savoir si oui ou non elles avaient une âme. Le juste rapport entre l'homme et la femme était celui de l'homme face à Dieu: l'homme devait accepter Dieu comme son maître unique et autoritaire et il était lui-même le maître de la femme qui devait se soumettre entièrement à sa volonté. Les femmes devaient payer le prix du péché originel et racheter par leur soumission à l'homme et à Dieu les souffrances humaines dont Ève était la cause.

Plus tard, l'image de la femme revêtit un second aspect, différent et complémentaire. À la pécheresse s'ajouta la vierge, symbole de pureté qui transforme et élève l'âme humaine. Notre conception occidentale de la femme est toujours le reflet de la dualité prostituée, vierge et mère. On dit encore de nos jours qu'il y a la femme que l'on désire et celle que l'on admire, celle avec qui l'on couche et celle que l'on épouse.

La mysoginie exacerbée de l'Église n'avait d'égal que sa haine pour l'amour romantique.

Le christianisme condamnait en bloc le libre arbitre, le choix de mener sa vie comme on l'entend et les plaisirs sexuels; en un mot: la liberté individuelle.

L'amour courtois: un timide précurseur de l'amour romantique

Étant donné la brutalité et la cruauté de la répression au Moyen Âge et la stricte législation du mariage par l'église, il n'est pas surprenant que les premiers tâtonnements vers une nouvelle définition de l'amour originent d'un mélange de croyances sur l'amour et sur le mariage. Née au onzième siècle dans le Sud de la France, la doctrine de l'amour courtois se répandit grâce aux troubadours et aux poètes qui fréquentaient les cours de la noblesse, souvent dirigées par les épouses des Nobles partis aux Croisades.

L'amour courtois exaltait la passion d'un homme pour une femme en dehors du mariage, ce qui contribuait à maintenir une conception sombre et inerte du mariage. Notons ici qu'il existe une controverse concernant l'existence réelle de l'amour courtois. Ne représente-t-il pas simplement un phénomène littéraire? Il semble que la compilation littéraire dont il a été l'objet témoigne qu'il correspondait certainement à une conception médiévale de l'amour. Le code amoureux qu'écrivit en 1174 la comtesse de Champagne détermine, sous forme littéraire, les divers principes qui régissaient l'amour courtois:

1. Le mariage ne constitue pas une excuse au fait d'être amoureux (amoureux de quelqu'un d'autre que son époux, s'entend.) ... 3. Nul ne peut se lier à deux amours en même temps... 8. Nul ne doit, sans raison suffisante, être privé de son amour. 9. Nul ne peut aimer, à moins d'abriter l'espoir d'être aimé en retour... 13. L'amour connu publiquement ne dure que rarement. 14. Une conquête aisée rend l'amour méprisable; une conquête ardue le rend désirable... 17. Un nouvel amour chasse l'autre... 19. Si l'amour s'affaiblit, il meurt rapidement et reprend rarement vie. 20. L'homme enclin à l'amour l'est aussi à la peur. 21. La vraie jalousie augmente toujours la valeur de l'amour. 22. Les soupçons et la jalousie qu'il attise ajoutent à la valeur de l'amour... 25. Le bien-être du bien-aimé passe avant le sien pour le véritable amant. 26. L'amour ne peut rien refuser à l'amour... 28. La moindre présomption oblige l'amant à suspecter le pire de son amante. (Langdon Davies, 1927)

Et le code célèbre se termine ainsi:

Nous prononçons et décrétons par la teneur des présentes que l'amour ne peut étendre ses pouvoirs sur deux personnes mariées, car les amants doivent tout se donner gratuitement l'un à l'autre sans vivre sous la contrainte de la nécessité tandis que les époux ont le devoir de s'accepter et de ne rien se refuser. Que ce jugement, proclamé avec une extrême attention, et sur le conseil de nombreuses dames, soit reçu par vous comme la vérité indubitable et inaltérable. (Ibid.)

Malgré ses grandes naïvetés, cet idéal courtois exprime trois principes contemporains: l'amour véritable entre un homme et une femme repose sur un choix délibéré et ne peut s'épanouir dans la soumission à l'autorité familiale, sociale ou religieuse. L'amour repose sur l'admiration et l'estime. L'amour n'est pas un divertissement, mais la valeur essentielle de l'existence. À cet égard, les historiens n'ont pas tort de voir dans l'amour courtois les prémisses de l'amour romantique contemporain.

Mais l'amour courtois échappe à toute compréhension mature de l'amour romantique, non pas tant par son absence de réalisme (brièvement illustré ici), mais par le fait qu'il n'intègre pas la sexualité à l'amour. L'amour courtois, idéalisé, n'était jamais consommé. De telles relations amoureuses se justifiaient ainsi: l'amant, ennobli par la poursuite d'un idéal aussi élevé, avait la motivation voulue pour accomplir des actes vertueux et courageux. La dame, elle, se trouvait gratifiée d'être la source de tels exploits. Les désirs frustrés, insatisfaits attisaient langueur et passion. Les seules relations consommées furent celles de Lancelot et Guenièvre et de Tristan et Iseult, mais dans la honte et le désespoir.* Piètre vision de l'amour entre deux êtres charnels!

De la renaissance au siècle des lumières: l'amour temporel

Dans les soulèvements politiques, économiques et socio-culturels qui caractérisent la Renaissance, le concept de l'amour évolue vers plus de joie, sans toutefois remettre en question les discriminations à l'égard des femmes. La sexualité était toujours coupable et la séparation entre le corps et l'esprit demeurait.

---

* Toute littérature présentant des relations amoureuses consommées était condamnée par l'église.

Un changement cependant: l'autorité et le pouvoir de l'église diminuèrent avec la montée du protestantisme et le mariage fut de plus en plus considéré comme une institution nécessaire. Certes, le célibat restait de loin préférable au mariage, même aux yeux de l'église réformiste dont les porte-parole conservaient une haine tenace envers la sexualité. Les lois calvinistes condamnaient à l'exil ceux qui s'adonnaient à la fornication, et le délit d'adultère était puni de mort par noyade ou décapitation.

Le but du mariage restait la procréation, et il était considéré comme le "remède à l'incontinence". La répression sexuelle disparaissait, mais la sexualité était toujours un péché. Luther affirmait que "Dieu couvre la faute du mariage".

Ce tableau rapide serait bien morne et répétitif si l'on n'ajoutait pas que la Reconnaissance apporta des conceptions plus temporelles de la vie. La montée du commerce et le développement d'une classe moyenne s'accompagnèrent d'un éveil face aux possibilités qu'offrait la vie sur terre. Le fossé entre la religion et la vie temporelle se rétrécissait lentement.

Le mariage, davantage respecté, pouvait être enrichissant. Les intellectuels des quinzième, seizième et dix-septième siècles ignoraient toujours l'intérêt individuel en proclamant le bien-fondé des mariages de raison (Hunt, 1960). La tradition se perpétuait, sous la nouvelle bannière de la raison.

Par le biais de la littérature, certaines idées "modernes" furent exprimées, entre autres par Shakespeare qui voyait dans l'amour la condition préalable au mariage. Heinrich Cornelius Agrippa écrivait: "L'amour, et non la substance des biens, est la base même du mariage" et "Un homme choisit une *femme*, non un habit, et il doit se rappeler qu'il épouse une femme, et non une dote". (Ibid.) John Milton compte parmi les défenseurs de l'individualisme les plus radicaux de l'époque: "Le divorce doit être accordé dans les cas d'incompatibilité d'humeur et d'indisposition de nature qui sont des obstacles au réconfort et à la paix que le mariage doit apporter." (Nous sommes encore loin des délices ou de l'extase...)

On fit des tentatives pour créer une structure où pourraient cohabiter sexualité et amour, tendresse, affection, désir. Malgré ces efforts, le puritanisme qui fit place au catholicisme dans la majorité du monde occidental réprima très durement la sexualité.

Aux seizième et dix-septième siècles, les classes éduquées réagirent violemment contre le puritanisme et l'ingérence de l'église dans le monde social et politique. Mais dans le domaine des relations entre hommes et femmes, cette "rébellion" se résumait à une capitulation jamais reconnue. Par "défi" envers la religion, écrivains et penseurs de l'Âge de Raison donnèrent une description nouvelle de l'homme: non plus un pécheur, mais un animal charmant; faible, mais pas dépravé (au sens religieux du terme). La sexualité était une sorte d'aventure, aussi dépourvue de sens spirituel que l'accouplement de deux animaux.

La notion de "perversité rationnelle" se répandit, soutenue par Diderot et le Marquis de Sade dont l'influence fut considérable sur les écrivains romantiques du dix-neuvième siècle. Ce "défi" à la morale religieuse faisait en somme l'apologie de la cruauté sexuelle. Diderot fut l'un des principaux théoriciens du *Système de la Nature*. En poussant le matérialisme à ses conséquences logiques, il permit la justification des perversions sexuelles au nom de la nature (Praz, 1951).

Il faut, pour bien comprendre cette époque, se reporter à la vision *mécaniste* qu'offrait la nouvelle science de la réalité. Dans l'univers newtonien, soumis à des lois de cause à effet purement physiques, et réductible au mouvement "aveugle" de particules dans l'espace, l'esprit humain et les phénomènes essentiels de l'existence n'avaient aucun sens. Les penseurs, influencés par cette nouvelle théorie, tentèrent d'interpréter le comportement humain. Ils mirent sur pied des théories basées sur le déterminisme mécanique et cherchèrent les causes du comportement humain dans les origines animales de l'humanité primitive ou dans le rôle laissé à l'individu dans le réseau des forces sociales. De ce point de vue, toute relation spirituelle passionnée entre un homme et une femme était jugée "non scientifique", donc absurde, et passait pour une tentation illusoire, visant à annoblir une pulsion purement physique dont le seul but était l'accouplement.

La dichotomie entre la passion et la raison reprit toute sa force à cette époque. L'émotion était méprisable. Comme l'écrivait Jonathan Swift (Hunt, 1960): "L'amour est une passion ridicule qui ne trouve sa place que dans les pièces de théâtre et les romans." Pour Sébastien Chamfort (Ibid), l'amour n'était que "le contact de deux épidermes".

Selon le principe historique du pendule, la rébellion contre la répression de l'Église fit place à une révolte dite rationnelle contre l'amour quotidien et terrestre. Les intellectuels ne remirent pas en question l'hégémonie religieuse sur l'extase ou l'exaltation amoureuse. Ils l'ignorèrent totalement.

À l'Âge de Raison, la culture semblait véritablement obsédée par les passions qu'elle condamnait. Hunt écrit, en 1960:

> Bien que la culture de l'époque méprisât l'émotion et insistât sur le rôle prépondérant de l'intellect, elle était obsédée par l'"amour", ou du moins par une de ses variantes, la "galanterie", sorte de jeu routinier où s'entremêlaient adultère et séduction... Ceux-là même qui prônaient le rationalisme passaient tout leur temps dans des intrigues amoureuses et se ruinaient la santé par des excès de libertinage.

L'amour était un jeu, un amusement, la séduction et l'adultère, un divertissement. Il fallait flatter, insulter et manipuler les femmes, jouer avec elles, les séduire, ne jamais les prendre au sérieux. Lord Chesterfield (Ibid.) écrivait à son fils: "Les femmes ne sont que des enfants. Leur babillage est divertissant, elles ont même parfois de l'esprit, mais je n'ai jamais connu de femmes sensées ou raisonnables."

Ce contexte culturel n'était pas propice à l'amour romantique car, si l'objet de la passion d'un homme était si peu pris au sérieux, comment pouvait-on avoir une quelconque estime pour la passion elle-même?

En Europe, les mariages d'amour étaient rarissimes. Depuis la Renaissance, le concept du bonheur terrestre était de mieux en mieux accueilli, et cela se reflétait dans l'idée que les conjoints pouvaient s'aimer *après* leur mariage. Ainsi, l'idée du bonheur conjugal se trouvait légitimée, *à un certain niveau seulement*, puisque les mariages étaient toujours arrangés par les familles pour des raisons économiques et politiques.

Les intellectuels de l'Âge de Raison ne firent pas évoluer les idées reçues sur l'amour. Ils confirmèrent la conception séculaire de séparation entre le corps et l'âme qui refusait aux conjoints passion physique et valeurs spirituelles.

L'ère industrielle, le capitalisme et une nouvelle vision des rapports entre hommes et femmes

Le rationalisme faisait des pas de géant dans les domaines de la pensée, des sciences et de la philosophie politique. L'investigation intellectuelle permit des découvertes "explosives". Les penseurs scientifiques proclamaient la puissance de l'esprit "non guidé" pour percer à jour les secrets de la nature et apporter "les lumières" tant attendues après des siècles d'obscurantisme. Les tyrannies successives firent place aux Droits de l'Homme. Ces ouvertures philosophiques et sociales eurent des retentissements considérables sur les relations individuelles.

Le dix-neuvième siècle reconnaissait l'amour romantique comme une valeur culturelle et comme le fondement idéal du mariage. Cette idée surgit dans un contexte qui valorisait la vie sur cette terre et où l'on reconnaissait l'importance du bonheur individuel. C'est en Occident, et plus particulièrement aux États-Unis, qu'a grandi cette culture en même temps que naissait la révolution industrielle et le capitalisme.

Pour comprendre ce phénomène, il est essentiel d'examiner le large contexte politico-économique de l'époque.

Après le siècle des Lumières, la Révolution industrielle et la montée du capitalisme au dix-neuvième siècle, on assistait à l'effondrement de l'état absolu et à l'essor d'une société de libre marché. L'énergie productrice trouvait ainsi un débouché inconnu jusqu'alors. La vie devenait possible pour des millions d'hommes qui n'avaient aucune chance de survie à l'époque pré-capitaliste. Le taux de mortalité diminuait et la natalité était en pleine expansion. Le niveau de vie, dont le concept même était inconcevable dans le monde féodal, allait en augmentant. Grâce aux progrès prodigieux de la science, de la technologie et de l'industrie, l'esprit humain enfin libéré exerçait pour la première fois dans l'histoire un contrôle sur la matière.

L'ère industrielle et le capitalisme permirent beaucoup plus qu'un confort matériel. Fait historique sans précédent, on reconnaissait à l'homme *la liberté de choix individuel*. Liberté intellectuelle et liberté économique apparurent et grandirent conjointement. On venait de découvrir la notion de *droits individuels*.

L'individualisme fut la force créatrice qui révolutionna le monde et du même coup les relations humaines.

C'est aux États-Unis qu'est né le principe du capitalisme, avec un système de gouvernement limité et constitutionnel, la libre circulation et le libre échange. Dans l'Amérique du dix-neuvième siècle, la productivité était libre de toute réglementation, restriction ou contrôle gouvernementaux. En un siècle et demi, les États-Unis offrirent liberté, progrès, épanouissement, richesse et confort physique. *Les États-Unis créèrent le contexte favorable à la poursuite du bonheur que l'on reconnut comme une fin normale et possible.*

Engels, farouche opposant du capitalisme, attribue la reconnaissance culturelle du libre choix en amour à l'avènement de l'industrialisation et du libre échange:

(Le capitalisme) a dissous toutes les relations traditionnelles en substituant aux droits historiques le contrat "libre". (...)

On ne peut conclure de contrats qu'entre individus égaux, disposant librement d'eux-mêmes, de leurs actes et de leurs avoirs. (...)

(Dans le monde capitaliste), un mariage dont le fondement n'était pas l'amour, la sexualité et le libre consentement des époux allait à l'encontre de la théorie éthique. Le mariage d'amour fut proclamé droit humain, c'est-à-dire à la fois "droit de l'homme" et, curieusement, "droit de la femme".

Comme le suggère cette citation d'Engels, cette nouvelle tendance eut des répercussions particulièrement importantes pour les femmes. Car c'est le système politico-économique tant décrié par Engels qui permit la reconnaissance sociale de l'égalité des sexes. Comme nous l'avons vu, avant le capitalisme, la famille était la cellule permettant la survie économique. La majorité des gens vivaient à la campagne; plus une famille était nombreuse, plus elle fournissait de travailleurs potentiels. Le rôle prépondérant de la femme était donc la maternité. Sa survie économique en dépendait, ainsi que sa relation à l'homme.

La société industrielle et l'émergence des villes firent que l'on valorisa beaucoup plus les aptitudes intellectuelles. Dans la nouvelle société, la force en tant que telle n'avait plus qu'une importance relative. Bousculant des résistances non pas politiques ou économiques mais fondamentalement traditionnelles et religieuses, de nouvelles possibilités d'indépendance économique s'offraient aux femmes. Aux dix-neuvième et vingtième siècles, l'indépendance économique grandissante des femmes conduisit inexorablement à l'indépendance sociale et permit à des relations égalitaires de voir le jour.*

Le sexisme et la mysoginie engendrés par la religion étaient cependant loin d'avoir disparu au dix-neuvième siècle. Bien que diminuant, ces discriminations affectèrent la société actuelle. Aujourd'hui, la lutte n'est pas terminée. Disons que le développement de l'industrie et le sentiment croissant d'individualisme ont donné de grands espoirs aux femmes. Le sexisme et la mysoginie, bien qu'anachroniques, sont cependant encore vivaces.

Depuis les débuts de la révolution industrielle, on accusait le capitalisme de détruire le tissu social des relations féodales, de même que l'institution de la vie familiale. Les observateurs sociaux mettaient en garde leurs contemporains contre l'indépendance gagnée avec le capitalisme qui conduirait à la fin de la civilisation. En un sens, ils avaient raison; c'était bien la naissance d'une nouvelle civilisation, radicalement différente de tout ce qui avait précédé: hommes et femmes avaient le choix de s'unir non par nécessité économique, mais pour satisfaire leur quête de bonheur et d'épanouissement personnel.

---

* Il est regrettable que de nombreux défenseurs du féminisme considèrent le capitalisme comme leur ennemi; en réalité, c'est grâce au capitalisme que les femmes ont gagné leur indépendance. C'est le capitalisme et la philosophie individualiste qui le sous-tend qui ont fait du féminisme un phénomène historique inévitable.

Impact de la littérature romantique

La révolution industrielle à ses débuts coïncide avec le mouvement romantique qui allait jouer un rôle déterminant dans les relations entre hommes et femmes.

Le Romantisme de la fin du dix-huitième et du début du dix-neuvième siècles défendait des idées qui allaient radicalement changer la culture occidentale. Tout d'abord, ce mouvement était empreint d'un grand individualisme. L'individu avait une fin en soi et décidait librement de son destin. Ensuite, le romantisme reposait sur tout un système de valeurs: les forces extérieures comme la société, la religion ou la "fatalité" n'avaient pas d'emprise sur la vie humaine. L'individu seul régnait en maître sur son existence, en se référant à ses propres valeurs. En fait, le romantisme célébrait essentiellement les valeurs individuelles, ce en quoi il fut suivi par l'école romantique en littérature. L'amour courtois était très conventionnel et obéissait à de multiples rites. Le romantisme du dix-neuvième siècle, pour sa part, célébrait l'idiosyncrasie et le "naturalisme" de la passion. L'amour était un désir d'union entre deux âmes très individualistes se ressemblant spirituellement. Trouver "l'âme soeur" était donc de la plus haute importance.

Pour la première fois, les femmes apparurent — timidement il est vrai — comme étant égales aux hommes, tant sur le plan intellectuel que sur le plan sentimental. Mary Wollstonecraft, auteur du livre *Vindication of the Rights of Women*, paru en 1792, met un accent tout particulier sur les aptitudes rationnelles et intellectuelles des femmes. Manfred, héros romantique de Byron, décrit la femme aimée en ces termes: "Elle avait les mêmes pensées, se posait les mêmes questions, cherchait à découvrir des savoirs occultes, avait un esprit capable d'appréhender l'univers(...)"

Malgré un contexte littéraire regorgeant de héros et d'héroïnes pervers, cruels, mélancoliques ou sado-masochistes, il apparaît clairement que pour les romantiques, la relation idéale comprenait deux individus qualitativement égaux.

Parmi les radicaux, le poète Shelley fut un ardent défenseur du libre choix et de "l'amour libre". Il critiquait le mariage comme une institution socio-économique inhibant la liberté des émotions. Des personnalités comme Lord Byron, réputé pour son comportement scandaleux, allèrent même jusqu'à défendre le droit à l'inceste, en insistant sur l'importance du libre choix en amour. Les interdits sociaux n'avaient rien à voir avec la liberté amoureuse.

Il est courant d'analyser l'impact qu'a eu la littérature romantique sur les relations entre hommes et femmes par le biais des histoires d'amour décrites dans les romans, les pièces de théâtre ou les nouvelles. S'en tenir à cette seule compréhension serait négliger ce que je considère comme la source essentielle d'une telle influence. En fait, c'est par l'approche *métaphysique* implicite, autrement dit ce nouveau regard porté sur l'existence, le monde, la nature humaine et le potentiel de l'humanité, que s'explique l'impact culturel du romantisme.

Avant la naissance de ce mouvement, la littérature occidentale était dominée par le thème de la "fatalité". Hommes et femmes étaient les jouets du destin — qu'ils soient rebelles ou résignés, ils en étaient toujours les victimes. La fatalité leur enlevait tout pouvoir de décision et d'action. Les pièces de théâtre, les poèmes épiques, les sagas, les chroniques portaient tous le même message: les hommes sont des pions placés dans un univers hostile à leurs intérêts. Quand il leur arrivait de réussir, ce n'était jamais dû à leurs efforts, mais grâce à des circonstances totalement fortuites. Le romantisme s'insurgea donc contre cette vision de l'existence. Dans les romans à intrigues, la vie des personnages est déterminée par les buts qu'ils se sont fixés et qu'ils poursuivent en traversant une série de conflits — individuels ou interpersonnels — qu'ils doivent résoudre, et ce dans un contexte cohérent menant à la résolution finale. Philosophiquement, ceci implique que notre vie est entre nos mains, que c'est à nous qu'il revient de façonner notre destin et que ce *choix* est le facteur souverain de la vie. Ceci me semble être *le point de rencontre* le plus évident entre la littérature romantique et notre conception moderne de l'amour romantique.

Malheureusement, les écrivains de l'époque se trouvèrent pris au piège: les valeurs de la morale traditionnelle ne pouvaient ni s'appliquer à la vie terrestre, ni être mises en pratique, ni être vécues avec succès.

Cette littérature ne pouvait servir de guide au bonheur, ce qui explique que tant de romans, pourtant favorables dans leur esprit aux relations entre hommes et femmes et au matérialisme, aient des fins tragiques, comme par exemple: *Notre Dame de Paris* ou *L'homme qui rit* de Victor Hugo. C'est aussi ce qui explique que de nombreux romans se situent dans le passé, de préférence au Moyen Âge, comme les oeuvres de Walter Scott ou les romans historiques de notre époque, dernières traces romantiques. On peut citer une rare exception, c'est l'oeuvre de Hugo: *Les Misérables*, qui traite des problèmes du temps. En échappant au présent, les romantiques se mettaient en contradiction avec leur philosophie de l'efficacité humaine: l'individu apparaissait comme (parfois) héroïque mais la vie comme (presque toujours) tragique.

On jugea leur attitude passéiste et romanesque comme une véritable fuite devant la réalité. Ils se retranchèrent de plus en plus des problèmes du quotidien et abandonnèrent tout engagement. Leur travail dégénéra en romans de fiction, ce qui est depuis lors son statut. Il est fréquent que les détracteurs de ce genre littéraire critiquent aussi l'amour romantique pour son manque de réalisme.

C'est dans la seconde moitié du dix-neuvième siècle que l'on attaqua le plus les thèmes romantiques. Non seulement à cause des éléments cités précédemment ou du mysticisme irrationnel dont ils faisaient preuve, mais aussi à cause de leur incapacité à se démarquer par rapport à la religion et, fondamentalement, pour la mauvaise évaluation qu'ils firent du rôle de la *raison*.

Acceptant la séparation entre raison et émotion si chère à leurs ennemis, ils se firent les champions du sentiment à tout prix, ignorant le rôle de l'intellect et de l'objectivité. Ils ne comprirent pas que tous ces facteurs sont autant d'expressions différentes mais compatibles de la force vitale des êtres. Ainsi, la lutte des Romantiques ne fut pas tant un combat entre irrationalistes et rationalistes qu'un combat entre deux types d'irrationalistes. Il n'y eut pas de vainqueur à ce faux dilemme.

Littérature et amour "romantiques" recouvrent tous deux la notion de libre arbitre. Mais l'amour romantique appelle *l'intégration* de la raison et de la passion, c'est-à-dire un équilibre viable entre subjectivité et objectivité. En d'autres termes, l'amour romantique nécessite *le réalisme psychologique* qui fit tant défaut aux Romantiques.

L'amour romantique "apprivoisé" du dix-neuvième siècle

Indifférente aux attaques dont ce siècle accablait le courant romantique, la nouvelle classe moyenne qui naissait, à une époque où les certitudes philosophiques, scientifiques et sociales se désintégraient, fut touchée par l'idéal de l'amour romantique. C'est pendant la deuxième moitié du dix-neuvième siècle que l'on prit pleinement conscience des implications de cette nouvelle vision scientifique du monde. La théorie de l'évolution fut une des nombreuses découvertes qui sapèrent les croyances religieuses ancrées depuis des siècles. Vivre et s'impliquer dans des relations interpersonnelles constituait le sens même de la vie et apparaissait comme l'unique source de stabilité et de permanence.

L'amour représentait donc le havre de paix et de réconfort auquel les gens pouvaient se rattacher avec quelque espoir de durée, dans un monde chaotique et imprévisible. C'est au sein de la classe moyenne qu'apparut une version domestiquée de l'amour romantique dans le mariage. Au milieu des soulèvements sociaux et politiques, le mariage et la famille devinrent les idéaux institutionnalisés de la stabilité sociale, et l'on fit de la dévotion conjugale un devoir social, ce qui était fort éloigné du "romantisme" de l'amour... Essentiellement puritains et attirés par la respectabilité, ces *nouveaux riches* domestiquèrent la passion romantique, en ce sens qu'ils reconnurent et défendirent les mariages librement choisis, tout en enlevant à l'amour son aspect passionné.

L'époque victorienne est célèbre pour son caractère répressif, se caractérisant par une attitude larmoyante en ce qui concerne la vie familiale et la suppression stricte de la sexualité. La société puritaine définissait le désir sexuel comme une passion bestiale de l'homme. On comptait alors sur l'épouse pour élever moralement ces bas instincts. La femme se devait d'être la créature vertueuse, asexuée, dont l'image fut popularisée comme "l'ange du foyer" dans un important roman. L'amour victorien combinait respect mutuel, dévotion et affection dans le mariage, tout en inhibant la sexualité.

Paradoxalement, on acceptait les valeurs comme l'individualisme et la liberté dans le domaine économique, mais l'individu était soumis à une énorme pression de conformisme social. Et c'est particulièrement dans les classes moyennes, si avides de "respectabilité", que l'ouverture émotive et la liberté d'expression sexuelle faisaient le plus défaut.

Malgré tous ces obstacles, on avait fait des progrès "irréversibles". Des changements s'étaient produits. Les femmes possédaient des droits sur la propriété, le mariage devenait plus civil que religieux et le divorce était moins difficile à obtenir. Autant de transformations sur le plan légal qui rendaient plus facile le choix d'un partenaire.

À la fin du dix-neuvième siècle et au début du vingtième apparaissait la psychanalyse qui apporta une compréhension nouvelle de la sexualité. Ainsi, la "bestialité" tant combattue fut remplacée par l'idée que le sexe est une fonction naturelle et psychologiquement signifiante.

La "révolution freudienne" eut un impact paradoxal. Tout en apportant un éclairage libérateur sur la sexualité, elle était profondément anti-romantique et très opprimante pour les femmes. Freud n'était pas opposé au libre choix et il ne prônait pas davantage un retour aux mariages "arrangés", mais il estimait que l'amour n'était en réalité que l'expression d'une sexualité inhibée et que le romantisme bourgeois n'était qu'une *sur-idéalisation* basée sur les frustrations sexuelles des individus. Pour Freud, "l'amour romantique" était l'expression sublimée de pulsions sexuelles obscures. Le désir sexuel n'était nullement une expression d'admiration chez les conjoints, conception sans doute absente de sa propre expérience.

En ce qui a trait aux femmes, il adhérait totalement à la doctrine de la "petite femme", créature fragile et pas très futée qui a besoin d'être protégée des dures réalités de la vie par l'homme. Il enseignait que toute sa vie durant, la femme se sent inadéquate parce qu'elle ne possède pas de pénis. Une femme trop active, trop portée sur l'intellect ou trop ambitieuse en général ne faisait que compenser une nature incomplète et fondamentalement défectueuse. Il est inutile de rappeler que Freud n'est pas le héros des féministes d'aujourd'hui.

Cependant, en ouvrant la voie à l'investigation de la sexualité, jusque-là demeurée sujet tabou, et dans sa volonté de trouver des réponses, Freud fit des recherches qui eurent un effet libérateur. Il fraya le chemin à ses détracteurs futurs qui eurent une vision plus claire et plus perspicace. Et c'est "malgré lui" qu'il contribua à l'évolution de l'amour romantique.

L'idéal américain: individualisme et amour romantique

Nous avons constaté le lien étroit entre individualisme et amour romantique. Ceci peut nous aider à comprendre l'importance de cet idéal, dans un contexte social beaucoup plus vaste, son succès aux États-Unis et ce pourquoi on le considère généralement comme typiquement "américain."

Bien que la culture américaine ait été imprégnée de l'influence puritaine (puis victorienne) et que la tradition anti-romantique américaine soit souvent synonyme de refus de la passion, c'est aux États-Unis plus qu'ailleurs que l'on se maria par amour, ce qui fit figure d'exemple pour le monde occidental. Dans le livre de Burgess et Locke: *The Family: From Institution to Companionship*, publié en 1953, on peut lire: "C'est aux États-Unis qu'a eu lieu la démonstration, sinon unique, du moins la plus complète, de l'amour romantique comme prologue et support du mariage."

Insistons encore une fois sur l'originalité de cette conception qui se démarquait nettement de son passé européen en affirmant la liberté politique, la suprématie des droits individuels et, plus spécifiquement enfin, sa conviction que tout être humain a le droit de poursuivre son bonheur *ici-bas*. Il est difficile pour les Américains d'aujourd'hui d'apprécier pleinement l'aspect révolutionnaire de ces conceptions, surtout si l'on se place du point de vue des intellectuels européens. On a dit de l'Amérique qu'elle était la première société *temporelle* de l'histoire, où l'individu n'était plus le serviteur de la religion, de l'état ou de la société, mais où il avait le droit d'exister pour son propre bonheur. C'est la première nation à avoir rendu ce principe explicitement politique.

Mises à part les considérations philosophiques et politiques, on peut expliquer le rôle de l'amour romantique dans la société américaine par la nature des membres qui la constituèrent à ses débuts, à savoir des immigrants. Ces derniers étaient sans doute plus enclins à laisser les traditions derrière eux; le système économique naissant était plus ouvert et destiné aux aventuriers; les conditions de vie de ces pionniers étaient extrêmement âpres pour les femmes, non seulement sexuellement et économiquement, mais aussi psychologiquement.

À la fin du dix-neuvième et au début du vingtième siècle, les populations étaient de plus en plus mouvantes, ce qui entraîna des contacts plus libres entre les individus dans diverses situations. L'accessibilité à la contraception et la reconnaissance du divorce contribuèrent encore à une plus grande liberté dans les relations. Le vingtième siècle fut le témoin du déclin de l'ère victorienne, ce qui amena par la suite une meilleure compréhension de la sexualité féminine et la reconnaissance de l'égalité des sexes.

Les Américains d'aujourd'hui vivent librement leur sexualité et leur intimité. Le sexe n'est plus ce "côté obscur" de la nature humaine, mais l'expression naturelle de notre personnalité. Les sentiments ne sont plus dramatisés comme ils l'étaient par les Romantiques. L'influence religieuse diminuant, on se sent moins contraint de "prouver" sa "perspicacité éclairée" par la débauche. Ainsi, l'aspect "naturel" de l'amour romantique est accepté aujourd'hui comme jamais auparavant.

Critiques de l'amour romantique

Il n'en reste pas moins que les critiques contemporaines de l'amour romantique ne manquent pas. Sociologues et psychologues considèrent qu'il est naïf, voire pathologique ou

irresponsable de vouloir construire une relation à long terme
— comme le mariage — sur des sentiments. Ralph Linton,
anthropologue, écrit en 1936:

> Toutes les sociétés reconnaissent l'existence de liaisons
> sentimentales parfois violentes entre personnes du sexe
> opposé, mais la culture américaine est pratiquement la
> seule à essayer d'en faire la base du mariage. (...)
> Ce fait, rarissime dans la plupart des sociétés, indique
> que notre culture attache une valeur extraordinaire à
> des anomalies psychologiques.

Dans son livre *Love in the Western World* publié en 1940,
Denis de Rougemont fait des attaques plus virulentes encore:

> Aucune autre civilisation, au cours des sept mille derniè-
> res années, n'a donné à l'amour romantique une publi-
> cité aussi outrancière (...) Aucune autre civilisation ne
> s'est engagée avec une assurance aussi ingénue, dans la
> périlleuse entreprise de faire coïncider le mariage avec
> l'amour et de les rendre interdépendants. (...)
> En fait, même si l'amour romantique surmonte d'innom-
> brables obstacles, il en est un qui reste infranchissable, et
> c'est celui du temps. Ou bien le mariage est une institu-
> tion qui doit être durable, ou bien elle est vide de sens.
> (...) Tenter de baser le mariage sur une forme d'amour
> par définition instable est vraiment remplir les caisses de
> l'État du Névada. (...)
> La sentimentalité se nourrit d'obstacles, de brèves exci-
> tations et de séparations; par contre, le mariage est fait
> de volonté, de coexistence quotidienne et d'apprentissage
> de la vie commune. Le romantisme, c'est "l'amour loin-
> tain" du troubadour et le mariage, c'est "l'amour de son
> voisin".

James H.S. Bossard et Eleanor S. Boll, auteurs de *Why
Marriages Go Wrong*, publié en 1958, se montrent aussi très
virulents:

Si l'on choisit son conjoint dans le seul but d'être heureux et de s'épanouir personnellement, le mariage est irrémédiablement détruit si ledit conjoint ne remplit plus sa fonction. (...)

La frontière entre individualisme et égocentrisme est très étroite (...) Le désir de bonheur individuel dégénère en lassitude sociale. (...)

Selon ces auteurs, l'engouement américain pour des relations romantiques reflète une "psychologie d'enfants gâtés".

En 1973, lors d'un symposium sur l'amour, un participant, se faisant le porte-parole de nombreux auditeurs, déclarait:

Sur le plan socio-culturel et sur le plan psychologique, l'amour peut être une béquille entravant le développement de structures sociales nouvelles, si essentielles à l'amélioration de la condition humaine et de la société future.

Dans leur livre, *The Significant Americans* publié en 1965, John F. Cubert et Peggy B. Harroff font des critiques à un niveau plus personnel. L'ouvrage est décrit comme "une étude du comportement sexuel des gens riches". Les auteurs font ressortir le contraste entre deux types de mariages. D'une part le "mariage utilitaire", dénué de passion mutuelle, dépendant de facteurs sociaux, financiers et familiaux et rendu tolérable par des séparations longues, une immersion dans des "activités communautaires" et l'infidélité. D'autre part, le "mariage intrinsèque", caractérisé par un attachement émotif et sexuel passionné, une politique de partage des expériences et qui place la relation au-dessus de tout autre aspect social (en d'autres termes, l'amour romantique). Les conjoints de "mariages intrinsèques" ont tendance à être très avares de leur temps, refusant de prendre part à des activités sociales, politiques, communautaires et autres qui les obligeraient à se séparer. Ils semblent ne chercher aucune excuse pour échapper l'un à l'autre. Ce genre de relation soulève chez les époux de "mariages utilitaires" une bonne dose d'envie, de ressentiment et d'hostilité. Les auteurs commentent d'ailleurs que ces "amoureux immatures" doivent être "remis à leur place". Puis vient la citation d'un psychologue: "Tôt ou tard, il faut bien agir selon son âge. Les gens qui restent collés l'un à l'autre de cette façon doivent sûrement avoir des problèmes psychologiques ou en auront de toute façon." Un autre psychologue cité déclare: "Un couple qui vit une telle intimité est tout simplement *malade*. Chaque conjoint se sert de l'autre comme d'une béquille! Il est trop dépendant! Tout cela est malsain." (Je me permets de rappeler ici que ces considérations ne sont pas les miennes.)

Les critiques du romantisme ne manquent pas de dire que c'est aux États-Unis que le taux des divorces est le plus élevé. Ceci n'est pas une condamnation de l'amour romantique (cela suggère plutôt que de nombreux Américains sont tellement impliqués dans l'idéal d'un mariage heureux qu'ils refusent de se résigner à une vie de souffrance). Il est incontestable que de très nombreuses personnes vivent leurs tentatives d'épanouissement "romantique" comme des déceptions, voire des échecs désastreux. Le désenchantement et la désillusion sont très répandus.

On essaie de plus en plus des alternatives comme le mariage "ouvert", les groupes, les communautés, les familles à couples multiples, le mariage "à trois". Cependant, aucune de ces tentatives n'a récolté de succès foudroyants. Il est clair que le problème se situe à un niveau beaucoup plus profond et que ces "solutions" n'en sont pas.

L'accablante et indéniable difficulté qu'ont les individus à être heureux ensemble nous force à réfléchir plus profondément sur l'amour et les relations humaines en général.

Pour ce faire, voyons brièvement pourquoi on a si sévèrement critiqué l'amour romantique.

Ce que l'amour romantique n'est pas

Trop souvent, on se contente d'isoler un processus immature ou irrationnel chez deux personnes qui se disent "amoureuses" et on en fait une généralisation. Ces critiques ne s'adressent pas à l'amour romantique tel que nous le définissons.

Certaines personnes confondent attraction sexuelle et amour. Convaincues d'être "amoureuses", elles se marient et découvrent qu'elles avaient peu d'intérêts communs, peu d'admiration véritable l'une pour l'autre; elles s'aperçoivent que leurs liens sont une dépendance économique, que leurs tempéraments sont incompatibles et qu'elles n'ont en fait pas d'intérêt véritable l'une pour l'autre. De tels mariages sont bien sûr des échecs, mais ils ne sont pas représentatifs de l'amour romantique et ça serait commettre une erreur que de les considérer comme tel.

Aimer quelqu'un, c'est d'abord et avant tout connaître et aimer sa *personne*. Il faut être clairvoyant et perspicace. On reproche souvent aux amoureux d'idéaliser leur partenaire, de grossir ses qualités tout en masquant ses défauts. Il est vrai que cela arrive. Mais cette vision faussée n'est pas inhérente à l'amour. Répéter que l'amour est aveugle signifie en fait que les gens n'ont aucune affinité "amoureuse". Et cela va à l'encontre des expériences de couples qui sont très amoureux et qui voient cependant aussi bien les défauts que les qualités de l'autre.

Freud, de Rougemont et bien d'autres estimaient que l'expérience amoureuse était le fruit de frustrations sexuelles et que, par conséquent, cette expérience était vouée à l'échec aussitôt l'acte consommé. La frustration peut donner naissance au désir obsessionnel et tend à doter la personne désirée d'une valeur toute temporaire. Je dirais que ces considérations sont révélatrices de la situation de ceux qui les émettent et témoignent d'une indifférence et d'un aveuglement notoires pour l'expérience d'autrui.

Étant donné que la majorité des couples sont rapidement déçus par le mariage, on en conclut que l'amour romantique est décevant. Pourtant, on ne remet jamais en question la valeur d'une carrière, même si elle est semée d'embûches; pas plus qu'on n'estime que le désir d'avoir des enfants est immature ou névrotique si les relations avec les enfants sont décevantes. On dit dans ces cas-là que mener à bien une carrière ou l'éducation de ses enfants est une tâche plus complexe qu'on ne l'aurait cru.

L'amour romantique n'est pas omnipotent. Ceux qui le pensent manquent de maturité et prouvent qu'ils n'y sont pas encore préparés. Si l'on considère la multitude de problèmes que l'on apporte dans une relation sentimentale, doutes, craintes, manque de confiance en soi, insécurité, si l'on considère que la majorité des couples n'ont jamais appris qu'une relation est une valeur en soi et qu'elle demande de la conscience, du courage et de la sagesse, on ne peut s'étonner que les unions se terminent par des échecs. Mais on ne peut pas condamner l'amour romantique en se basant sur de telles considérations. S'il est vrai que "l'amour ne suffit pas", c'est-à-dire si l'amour en soi ne peut apporter indéfiniment bonheur et épanouissement, il n'est pas pour autant erroné, illusoire ou névrotique d'aimer. Il est certain que l'erreur réside non pas dans *l'idéal* de l'amour romantique, mais dans les demandes irrationnelles et irréalistes dont il est l'objet.

Comme nous l'avons vu précédemment, les motifs de ces critiques sont simples: envie, déboires personnels et incapacité de comprendre ceux qui ont la possibilité psychologique d'être heureux.

Il existe cependant des raisons philosophiques plus profondes. Il s'agit encore une fois de la mentalité tribale — autrement dit de questions éthiques et politiques. En lisant les critiques faites par les intellectuels de notre époque, j'étais hanté par le souvenir du slogan nazi gravé sur les pièces de monnaie: "Le bien commun au-dessus du bien individuel" et par la déclaration d'Hitler: "Dans leur quête d'un bonheur individuel, les gens tombent du paradis dans l'enfer."

Une des tragédies de l'histoire est que tous les systèmes de pensée qui eurent une influence dans le monde sont à la base de variantes du thème du sacrifice de soi. On fit de l'altruisme une vertu — et satisfaire les besoins et les désirs de l'ego devenait un vice. L'individu a toujours été la victime détournée de son ego, à qui on donnait l'ordre d'être "non égoïste" en se sacrifiant au nom de Dieu, du pharaon, de l'empereur, du roi, de la société, de l'état, de la race, du prolétariat ou du cosmos.

Étrange paradoxe que cette doctrine qui nous demande d'être les animaux au sacrifice, tout en symbolisant la bienveillance et l'amour de l'humanité. Il suffit de voir ses conséquences pour se rendre compte de la nature de cette "bienveillance". Si l'on remonte au premier sacrifice humain, fait sur un autel pour le bien de la tribu, si l'on repense aux hérétiques, aux dissidents brûlés sur le bûcher pour le bien de la populace ou pour la gloire de Dieu, si l'on considère les millions de gens exterminés dans les chambres à gaz ou dans les camps pour le bien de la race ou du prolétariat, il faut admettre que c'est cette morale qui a servi de justification à chaque dictature, à chaque atrocité passée ou présente.

Cependant, rares sont les intellectuels qui se sont insurgés contre les doctrines qui ont rendu tant de massacres possibles: "Le bien de l'individu doit être subordonné au bien de la masse." Ce qui leur importe, et ce pour quoi ils se battent, c'est de savoir qui sera la victime, pour quelle cause et à qui le sacrifice profitera. Ces penseurs expriment horreur et indignation lorsqu'ils sont en désaccord avec le choix des victimes ou les bénéficiaires du crime, mais ils ne remettent jamais en cause le principe essentiel, à savoir que l'individu est l'objet du sacrifice.

Ainsi, si l'on passe en revue les critiques selon lesquelles l'amour romantique néglige "le bien de la masse", on ne peut s'empêcher de se demander si des millions d'êtres humains devront encore souffrir avant que nous comprenions qu'il *n'existe pas* de bien supérieur à celui de l'individu.

Nous reviendrons plus tard sur le sujet de l'amour et de l'égoïsme. Quelles que soient les solutions que doivent trouver les hommes pour vivre des relations épanouissantes, il est clair que condamner le bonheur personnel n'en est pas une.

Enfin, pour en revenir aux critiques assez surprenantes de Linton, qui prétend que l'amour est "une anomalie psychologique" de notre culture puisqu'il est si rare ailleurs, notons que si l'on pousse ce raisonnement, on doit aussi condamner des "anomalies" du système américain comme le niveau de vie élevé, le statut inégalé des droits individuels et la liberté politique très large — qui ne sont pas courantes ailleurs.

Comparativement aux autres pays, les États-Unis sont des innovateurs dans bien des domaines. L'importance qu'ils attachent à l'amour romantique les distingue effectivement des autres cultures. Notons simplement que de plus en plus les populations éduquées se rapprochent de l'idéal américain.

Le mouvement du potentiel humain

Avant d'en revenir à notre thème principal, j'aimerais faire ici une digression dans un domaine qui peut paraître éloigné de celui de l'amour romantique mais qui est en fait une de ses composantes. Il s'agit de l'émergence d'un mouvement qui s'intéresse au potentiel humain.

Là encore, nous parlerons d'individualisme, et nous allons tâcher de mieux en comprendre la signification. L'individualisme est un concept éthique et politique qui affirme la suprématie des droits individuels et qui soutient que l'être humain est une fin en soi et non un moyen pour autrui. Le but de l'existence est la réalisation et l'épanouissement de soi. Ceci implique que l'individu est le juge souverain de sa pensée et de ses actes. L'individualisme est donc intimement lié à l'autonomie (concept sur lequel nous reviendrons).

Il faut ajouter aux contextes socio-culturels cités précédemment la montée historique de l'individualisme, qui a donné naissance depuis quelques dizaines d'années à un phénomène significatif en psychologie: il s'agit du "mouvement du potentiel humain". On peut le décrire comme une révolte contre une vision étroite et réductrice de la personne humaine, vision chère aux psychanalistes et aux behavioristes. C'est la volonté d'atteindre une compréhension plus large et plus globale de "l'humain" et de ses possibilités "les plus élevées".

Contrastant avec la psychologie et la psychiatrie traditionnelles chargées de "traiter des maladies", ce mouvement s'oriente vers tout ce qui se situe de l'autre côté du "normal", tout ce qui appartient à la croissance, à l'actualisation de soi (actualiser signifie rendre réel, amener à la réalité), à l'exploration et à l'épanouissement du potentiel positif de l'être.

Ce phénomène est particulièrement intéressant, parce qu'il est en butte avec les mêmes critiques dont le romantisme faisait l'objet. Ainsi, on dit qu'il s'agit d'un phénomène de la classe moyenne centrée sur elle-même, égocentrique et indifférente aux problèmes "du monde dans sa globalité".

Il s'agit bien en effet d'un phénomène de la classe moyenne, tout comme l'était le romantisme amoureux. Il est évident que ceux qui doivent se battre pour survivre ou qui meurent de faim ou de maladies ne se préoccupent guère de l'actualisation de leur ego. Ce n'est que lorsqu'on a atteint un certain niveau matériel que l'on songe à améliorer sa vie dans les domaines spirituel, psychologique, émotif et intellectuel.

Ainsi, le mouvement du potentiel humain est né dans une société riche et est un "phénomène américain".

Il faut reconnaître que ce mouvement n'est pas sans failles. "Conquête de l'ouest" psychologique, on y retrouve beaucoup d'enthousiasme, quelques étincelles de génie et beaucoup de charlatanisme. Ceci est caractéristique d'un processus "pionnier".

Il est toutefois malheureux que les défenseurs du mouvement se sentent obligés de se justifier, de s'excuser de "l'égoïsme" inhérent par définition à l'actualisation de soi. Désirer être sain de corps et d'esprit, désirer être heureux sont aussi des mouvements égoïstes, tout comme l'est notre prochaine inspiration d'oxygène.

Les gens, endoctrinés par des millénaires d'auto-sacrifice, paniquent devant l'évidence — à savoir que porter un intérêt à sa croissance personnelle et s'en préoccuper est tout-à-fait *légitime*. Il est affligeant de voir les gens continuer à vouloir "s'améliorer" au service de l'humanité, concédant tout à l'aspect "social".

Tout comme l'amour romantique, l'actualisation de soi est considérée comme une démarche irresponsable, voire antisociale.

Nous allons voir que ces attaques ne reposent sur rien. Quand on ne s'aime pas soi-même, on est incapable d'aimer les autres. Quand on ne se respecte pas, on ne respecte pas les autres. Ceux qui vivent dans l'insécurité se sentent toujours menacés par les autres. Et ceux qui n'ont pas d'ego n'ont rien à apporter au monde.

Si l'on examine le processus de l'évolution, à quelque niveau que l'on s'attarde, on est frappé de voir que des valeurs progressistes comme le génie, l'audace, le courage et la créativité sont le fait d'hommes et de femmes qui ont consacré leur vie à cultiver et à faire s'épanouir leur propre "destinée".

Artistes, scientifiques, philosophes, inventeurs, industriels ont suivi les chemins de l'actualisation de soi.

Le mouvement du potentiel humain jette un éclairage nouveau sur l'amour romantique. Rejetant une vision strictement mécaniste et réductrice, il a permis l'investigation de notions telles que "l'esprit", "la conscience", "le choix", "le but". Les découvertes réalisées en physique et en biologie ont fait éclater le matérialisme traditionnel, le remplaçant par un modèle *"organismique"* et non plus *"mécaniste"* de l'univers. "La globalité, l'organisation, la dynamique sont les facteurs prépondérants de la physique moderne", écrit Ludwing von Bertalanffy dans *Problems of Life*.

En biologie, les concepts de fonction, de but et de conscience sont essentiels et, ces trente dernières années, ils ont gagné en "respectabilité". Tenter de réduire la fonction de l'homme à celle d'un automate, ou encore interpréter les comportements, les valeurs et les choix comme les résultats mécaniques de forces sociales ou instinctives reste *indéfendable*; c'est ignorer l'évidence et faire violence à une somme considérable d'expériences humaines — c'est ce que les philosophes dénonçaient avant l'avènement de la physique et de la biologie modernes. Aujourd'hui, "les sciences pures" ne cautionnent plus le réductionisme.

On peut maintenant parler d'"aspirations spirituelles" et d'"affinités spirituelles" sans implications théologiques, irrationnelles ou non scientifiques. Nous voyons enfin l'évidence: l'être humain n'est pas une machine.

Les robots ne sont guère sentimentaux. Pas plus que les rats et les pigeons, sujets favoris de la recherche behavioriste.

Nous sommes l'espèce vivante la plus développée et la plus complexe de la planète. La qualité intrinsèque de la conscience humaine définit nos besoins et nos aptitudes. L'amour romantique en est une des manifestations.

L'amour romantique n'est pas un mythe qui attend la mort; il est au contraire, pour la plupart d'entre nous, la découverte qui demande à naître.

Le besoin d'une nouvelle compréhension de l'amour romantique

"L'amour ne suffit pas", on le sait.

Le seul fait d'être amoureux ne garantit pas nécessairement une relation heureuse et satisfaisante. L'amour n'assure pas la maturité et la sagesse d'un couple. Pourtant, ces qualités sont essentielles à l'amour. Aimer ne veut pas dire savoir communiquer ou connaître des moyens efficaces pour résoudre ses conflits. Aimer ne veut pas dire que l'on saura intégrer ses sentiments à sa vie de tous les jours. Mais sans ces connaissances, l'amour vacille et meurt. Aimer ne génère pas forcément l'estime de soi même s'il la renforce.

Enfin, même chez les individus mûrs et épanouis, "amour" ne rime pas forcément avec "toujours".

Au fur et à mesure de leur évolution, les individus voient leurs besoins et leurs désirs s'accentuer ou se transformer. Les aspirations, les objectifs personnels peuvent endommager la relation. Cela ne veut pas dire que l'amour est "un échec". Une union heureuse et stimulante n'est pas un échec parce qu'elle ne dure pas toute la vie. Elle peut être vécue comme une grande expérience.

Lorsqu'on unissait un homme et une femme "jusqu'à ce que la mort les sépare", il ne faut pas oublier que c'était à une époque où l'espérance de vie dépassait rarement l'âge de vingt ans. À vingt-six ans, un homme avait souvent eu trois épouses, dont deux étaient mortes en couches. Les unions "à jamais" ont donc un sens tout à fait différent à notre époque où l'on peut espérer vivre jusqu'à 70 ou 80 ans.

Ce qui donne parfois un sentiment d'échec, ce n'est pas tant le fait que l'amour n'apporte pas bonheur et épanouissement aux individus, mais plutôt le fait qu'ils n'ont pas su se quitter à temps; on voit souvent des couples lutter pour s'accrocher à leurs souvenirs; les frustrations qui en découlent ne sont pas pour autant un échec de l'amour.

Nous devons réviser notre conception de l'amour — ce qu'il veut dire, quelles expériences il permet, à quels besoins il répond et de quelles conditions il dépend.

Nous devons voir dans l'amour la rencontre unique de deux êtres qui peuvent, le cas échéant, se marier, avoir des enfants, avoir des rapports sexuels exclusifs et passer toute leur vie ensemble.

À l'heure actuelle, l'amour traverse une crise, non parce que c'est un idéal irrationnel, mais parce que nous n'avons pas encore saisi les implications philosophiques ni les conditions psychologiques qui lui sont propres.

Nous allons à présent étudier en détail les fondements psychologiques de l'amour romantique, les besoins qu'il tente de satisfaire et les conditions qui lui sont propices ou néfastes.

Chapitre II

Les racines de
l'amour romantique

Prologue: d'abord le soi, puis le possible

Je commencerai par rappeler une réalité fondamentale. Lorsqu'un homme et une femme sont épris l'un de l'autre et qu'ils recherchent l'intimité, l'union, la fusion, ils sortent tous deux de leur contexte de solitude. Cet état doit être bien compris, car il est le point de départ essentiel de la vie. Il peut paraître paradoxal d'étudier la solitude quand on parle d'amour. C'est pourtant notre condition à tous.

À la naissance, nous sommes seuls, mais nous ne le savons pas encore. Le nouveau-né ne différencie pas le soi du non-soi; il n'a aucune conscience d'être "distinct".

Voici ce qu'écrivent Manler, Pine et Bergman dans leur ouvrage intitulé *The psychological Birth of the Human Infant*:

La naissance biologique et la naissance psychologique de l'individu ne coïncident pas dans le temps. La première est un événement saisissant, observable et bien circonscrit. La seconde est un processus psychique qui se déroule lentement.

Découvrir les frontières, le point où s'arrête le soi et où commence le monde extérieur, saisir et assimiler la notion d'*isolement* constitue une des tâches majeures de l'enfance dont dépendra le développement ultérieur de l'enfant.

La seconde étape chevauchant le processus de maturation est celle de l'*individuation*, ou acquisition des capacités cognitives et motrices de base, combinée au sens naissant de l'identité physique et individuelle, qui constitue le fondement de l'autonomie chez l'enfant (sa capacité de décision, d'autorégulation et de responsabilité individuelle).

L'isolement et l'individuation marquent donc la naissance psychologique de l'individu.

Ces concepts ne s'appliquent pas uniquement à la petite enfance. Leur signification est beaucoup plus vaste et se manifeste tout au long du cycle de la vie. Ce sont des thèmes récurrents à des niveaux de plus en plus élevés de notre processus de maturation et d'évolution. Il est assez facile de les identifier dans l'évolution caractéristique de l'état d'enfant à l'état adulte: les "premiers pas", le choix d'une carrière, la fondation d'une famille. On les retrouve chez la femme suridentifiée à son rôle de mère, qui est confrontée au problème de son identité lorsque son enfant quitte la maison; elle aussi vit ce processus d'isolement et d'individuation; elle aussi lutte pour (re)trouver son autonomie. De même, un divorce ou la mort d'un conjoint force l'individu à faire face à son identité, en dehors du contexte de relation qui lui était familier.

On peut toujours nier l'isolement; on s'y retrouve toujours confronté. Une relation amoureuse peut nous "nourrir"; elle n'est jamais un substitut de notre identité. En niant ces vérités, on corrompt sa relation — par dépendance, exploitation, domination, servitude — autant de comportements qui sont le reflet de notre terreur non avouée.

L'essence même de notre évolution en tant qu'êtres humains passe peut-être par la question: "Qui suis-je?" Répondre à cette question, c'est se définir par le penser, le sentir, le faire — c'est apprendre à être de plus en plus responsable de sa vie, de son bien-être; c'est s'exprimer par son travail, ses relations, sa personnalité. Voilà ce que renferme le concept élargi d'*individuation* qui, nous le voyons, représente le travail d'une vie.

Lorsque l'enfant découvre que ses perceptions, ses sentiments, ses jugements sont en conflit avec ceux de sa famille ou de ses parents, il doit choisir: soit écouter la voix de son être, soit y renoncer en faveur des autres. Lorsqu'une femme estime que son mari se trompe sur des questions fondamentales, ou bien elle exprime ses pensées, ou bien elle se tait pour protéger l'"intimité" du couple. Lorsqu'un artiste ou un scientifique découvre soudain un chemin qui s'éloigne du consensus, du "courant prédominant", de l'orientation de ses contemporains, ou bien il poursuit seul sa route sans savoir où elle le mènera, ou bien il fait marche arrière, oublie ce qu'il a vu et rejoint les rangs. Ces exemples posent tous la même question fondamentale: doit-on respecter ou renier ses idées? C'est tout le problème de l'autonomie et du conformisme, de l'expression de soi et de l'auto-répudiation, de la création individuelle et de l'auto-destruction.

Tous les innovateurs, tous les créateurs sont des gens qui ont une capacité, dépassant la normale, d'accepter leur condition d'isolement. Leur désir de suivre leur propre vision est plus fort, même s'ils risquent de s'éloigner des autres. Il semble bien qu'ils fassent plus peur à leurs proches qu'ils ne sont eux-mêmes effrayés par l'inconnu. C'est un des secrets de leur force. Ce que nous appelons "génie" est fortement lié au courage, à l'audace et à la ténacité.

Respirer n'est pas un "acte social". Penser non plus. Nous sommes bien sûr en interaction: nous apprenons des autres, nous parlons un langage commun, nous exprimons nos idées, nous décrivons notre monde imaginaire, nous communiquons nos sentiments. Nous exerçons et subissons une influence. Mais la conscience a une nature intrinsèquement "privée". *Chacun de nous est, en dernière analyse, un îlot de conscience; c'est là que réside notre isolement.*

Être vivant, c'est être un individu. Être un individu conscient, c'est faire l'expérience d'une vision unique du monde. Être non seulement conscient, mais conscient de ce que l'on est, c'est vivre, même rarement, le fait inaltérable de son isolement.

Cette spécificité entraîne la notion de responsabilité. Nul ne peut penser, sentir, vivre notre vie à notre place; nul autre que nous-même ne peut donner un sens à notre vie. Pour la plupart des gens, cela est terrifiant, au point que certains y opposent tout au long de leur vie un refus passionné, une résistance farouche.

Leur résistance se traduit de multiples façons dont voici un échantillonnage: refuser de penser pour soi et suivre aveuglément l'opinion d'autrui; renoncer à ses sentiments les plus profonds pour "faire partie" d'un groupe, etc.; faire semblant d'être sans défense, d'être confus, d'être bête pour éviter de prendre position contre les autres, pour ne pas paraître indépendant; croire dur comme fer que l'on "mourra" si telle ou telle personne ne nous aime pas; s'allier à des mouvements, embrasser des "causes" pour éviter la responsabilité d'un jugement indépendant et nier ainsi sa propre identité; faire don de son esprit à un leader; tuer et mourir au nom de symboles qui promettent de nous apporter la gloire et de donner un sens à notre vie, moyennant une obéissance aveugle; consacrer toute notre énergie à manipuler les gens pour qu'ils nous donnent de l'"amour".

Il existe des milliers de situations où nous ne sommes pas seuls et cependant, aucune ne contredit la notion d'isolement. En tant qu'êtres humains, nous sommes liés à tous les autres membres de la communauté humaine. En tant qu'êtres vivants, nous sommes en contact avec d'autres formes de vie. En tant qu'habitants de l'univers, nous sommes proches de toute existence. Nous nous trouvons dans un réseau infini de relations. L'isolement et le contact sont des pôles qui s'induisent l'un l'autre.

Nous sommes tous partie intégrante de l'univers. Mais à l'intérieur de cet univers, chacun de nous est un point unique de conscience, un événement distinct, un monde spécifique.

Il faut absolument comprendre ce phénomène pour saisir la magie de l'union et de la fusion. Sinon, nous ne pouvons comprendre ces extraordinaires moments de sérénité, de plénitude et de bonheur ressentis lorsque nous sommes en harmonie avec tout ce qui existe et l'extase que procure l'amour romantique nous échappe aussi totalement.

Il faut répéter que ceux-là même qui, tragiquement, refusent l'isolement sont ceux qui réfutent l'amour. Quel serait donc le sens de l'amour sans un "je" qui aime?

D'abord le soi, puis le possible: celui de la joie exquise de rencontrer un autre être.

Vers une définition de l'amour

Il est encore prématuré d'aborder la question de l'amour romantique. Il nous faut d'abord examiner ce que l'on entend généralement par "amour". L'amour romantique est un cas bien spécifique. Il existe diverses sortes d'amour: l'amour filial ou parental, l'amour des amis, l'amour romantique, l'amour que l'on porte à un animal et ainsi de suite. Certaines vérités sont universelles et elles constituent la base même de la définition de l'amour romantique qui sera donnée ultérieurement.

L'amour est généralement la réponse émotionnelle que nous donnons à ce que nous valorisons le plus. En tant que tel, c'est une expérience de joie, du fait que l'autre existe, du fait qu'on est proche de lui, du fait de notre engagement envers lui. Aimer, c'est se délecter de l'être cher; c'est ressentir le plaisir d'être en sa présence et trouver une gratification, un épanouissement à son contact. L'être aimé est la source d'épanouissement de nos besoins les plus fondamentaux (celui ou celle que nous aimons entre dans la pièce et nos yeux, notre coeur s'illuminent. Nous regardons cet "autre" et la joie grandit en nous. Nous allons à sa rencontre; nous nous sentons heureux et comblé).

Mais l'amour est plus qu'une émotion. C'est une disposition au jugement, à l'évaluation et à l'action. En fait, *toute* émotion entraîne des réactions de cet ordre.

La première chose à reconnaître quand on parle d'émotions, c'est qu'il s'agit de réponses d'ordre qualitatif, d'évaluations. *Ce sont des réponses psychologiques automatiques — où se retrouvent des données mentales et physiologiques — à l'évaluation subconsciente de ce que nous percevons comme une relation bénéfique ou nuisible pour nous-même.*

Si l'on examine une réponse émotive, quelle qu'elle soit: amour, peur ou rage, on remarque que chacune renferme implicitement un double jugement de valeur, *une dualité* qui se traduit par la question: "Est-ce bon pour moi?", "Est-ce que cela est contre moi?" et "Dans quelle mesure?". Ainsi, les émotions diffèrent suivant leur *contenu* et leur *intensité*. Ce sont des aspects *constitutifs* d'un même jugement qui sont vécus comme une seule et même réponse.

L'amour est la plus haute expression, la plus intense affirmation de ce qui est bon pour moi et bénéfique à ma vie. (Nous voyons dans la personne de l'être aimé de nombreuses caractéristiques qui sont les mieux appropriées à la vie telle que nous la concevons et telle que nous la vivons — et qui sont par conséquent les plus compatibles et les plus désirables pour notre bien-être et notre bonheur.)

Toute émotion renferme une tendance inhérente à l'action; un élan pour accomplir l'acte qui correspond à l'émotion. Le sentiment de peur est une réponse individuelle à ce qui menace nos valeurs; il entraîne une tendance à éviter ou à fuir l'objet redouté. Le sentiment d'amour porte en lui une tendance à créer un contact avec l'être aimé, à vivre un engagement. (Parfois, il arrive qu'un des partenaires reproche à l'autre de ne pas l'aimer, d'avoir un *comportement* qui ne laisse rien deviner d'un sentiment amoureux. "Tu ne veux jamais rester seul avec moi. Tu refuses de me parler. Alors, *comment agirais-tu si tu ne m'aimais pas?*" sont des reproches que nous avons sans doute déjà faits ou entendus.)

Disons enfin que l'amour représente fondamentalement une *orientation*, une attitude, un état psychologique face à la personne aimée, plus profond et plus durable que tout autre sentiment ou émotion. *En tant qu'orientation, l'amour représente une disposition à vivre l'être aimé comme l'incarnation de valeurs personnelles très importantes et, par conséquent, à percevoir cette personne comme une source réelle ou potentielle de joie.*

L'amour entre parent et enfant: un cas spécifique

Parlant de l'amour, Aristote conseillait de prendre comme "modèle" d'évaluation et de comparaison une relation amicale qui unit deux individus qui ont un niveau semblable de développement, qui partagent les mêmes valeurs et les mêmes intérêts et qui se vouent une admiration réciproque. Nous verrons, au cours de notre étude, que ce point de vue est fort sage et qu'il prend tout son sens dans le domaine de l'amour romantique.

Fait curieux, on évoque parfois une relation fort différente, celle qui unit des parents à leurs enfants, comme point
de référence pour comprendre l'essence de l'amour — et également toute relation "saine" ou "désirable". Telle est la position de l'anthropologue Ashley Montagu qui écrit: "Il a été, je
pense, universellement reconnu que la relation mère-enfant
définit plus que toute autre l'essence même de l'amour." Je
tiens ici à dire que je ne peux partager ce point de vue et je
désire en expliquer les raisons.

Tout d'abord, il faut rappeler le nombre impressionnant
de théories élaborées par des philosophes et des psychologues,
et celui non moins imposant des controverses s'y rattachant,
pour contester "l'universalité" dont parle Montagu. Toutefois, cette analyse de l'amour est assez répandue pour qu'une
réfutation s'impose.

Montagu conclut par l'observation suivante:

Dès sa naissance, le bébé a besoin d'un échange d'amour
réciproque avec sa mère. Dès les premiers instants, la
présence du nouveau-né peut être très bénéfique pour sa
mère — *à condition* que la relation mère-enfant ne
soit pas dérangée. (...) (Si) l'enfant reste auprès d'elle et
si on le met au sein, on résout du même coup trois problèmes qui ont été cause de bien des tragédies (...) l'hé-
morragie post-natale (...) est réduite, l'utérus retrouve sa
taille initiale après quelques minutes et le placenta se
détache et est éjecté (...) L'enfant, pour sa part, en tire un
grand bénéfice. (...) Considérant ces éléments très salutaires pour la mère et l'enfant, nous pourrions peut-être
dire que *l'amour est la relation entre deux êtres qui contribue au bien-être et au développement de chacun.*

Il est indéniable qu'il existe un échange de bienfaits, tant
physiologiques que psychologiques entre la mère et l'enfant.
Il est tout aussi vrai que si j'achète un livre, la somme que je
verserai au libraire lui permettra sans doute de défrayer une

partie de son éducation permanente, et notre relation aura contribué à la fois à son bien-être, à son développement, et aux miens. On ne peut pourtant pas en conclure que mon libraire et moi sommes amoureux l'un de l'autre. Il apparaît donc clairement que la définition que donne Montagu néglige un élément essentiel.

Car si la mère *a bien l'intention* de profiter à l'enfant, ce dernier, lui, *n'a aucune intention* de profiter à sa mère. Le nouveau-né n'est même pas conscient initialement que sa mère est un être séparé de lui. Comment dire alors que l'enfant "aime" sa mère?

Il faut insister sur le fait que cette relation spécifique est l'exemple type d'une relation entre personnes *inégales*. Il y a d'une part la mère qui est presque exclusivement celle qui donne, et de l'autre l'enfant qui est presque exclusivement celui qui reçoit. Transposée entre deux adultes, ce genre de relation est totalement parasite et basée sur l'exploitation — ce qui n'est pas bien sûr le cas entre la mère et l'enfant pour des raisons biologiques évidentes.

La signification de l'amour entre parent et enfant est donc d'un tout autre ordre que celle de l'amour romantique.

Pour l'enfant, la mère est la première représentante de l'humanité. L'enfant acquiert le sens de la sécurité et de la protection. Il apprend la confiance. Il vit l'autre comme une source de plaisir et de gratification. Tout cela constitue une *préparation* très précieuse pour son développement amoureux ultérieur. Mais il ne faut pas confondre cet apprentissage avec l'expérience même de l'amour, qui requiert un niveau de maturité qui dépasse de beaucoup celui d'un enfant.

Même plus tard, lorsque l'enfant sera suffisamment développé pour aimer au sens actif et plein du terme, l'amour parent-enfant revêt un caractère beaucoup trop spécifique pour servir de prototype à l'amour en général. Ce qui demeure, du moins jusqu'à l'âge adulte, c'est le problème de l'inégalité et de toutes les limites que cela impose.

Le besoin et le désir d'aimer

Pour comprendre l'amour romantique, il nous faut aussi comprendre les besoins psychologiques qu'il satisfait, ainsi que leurs causes profondes.

Examinons notre besoin de *compagnie*, notre besoin de côtoyer des personnes que nous pouvons respecter, admirer, apprécier et avec lesquelles nous pouvons interagir de multiples façons et à divers niveaux. Virtuellement, chacun a fait l'expérience de ce désir de compagnie, d'amitié ou d'amour, et cela nous semble naturel. On met parfois de l'avant l'""instinct grégaire" propre aux humains. Mais cela n'explique pas grand chose.

On peut bien sûr alléguer que ce désir s'explique en partie par le fait que vivre et entretenir des relations avec autrui, dans un contexte social, échanger services et marchandises nous permet de survivre beaucoup mieux que seuls sur une île déserte ou dans une ferme auto-gérée. Il nous semble évident qu'il est préférable d'être en relation avec des personnes dont les valeurs ou le caractère se rapprochent des nôtres, plutôt qu'avec des gens qui nous sont totalement antipathiques. Il est donc normal que nous nourrissions des sentiments comme la bienveillance, l'affection, avec ceux qui partagent nos opinions et qui nous sont salutaires. Mais les considérations d'ordre pratique et existentiel ne répondent pas à la question fondamentale et sont insuffisantes pour expliquer le phénomène qui nous intéresse ici.

Le désir de compagnie et d'amour provient de considérations plus *intimes*, qui reflètent des motifs moins existentiels que psychologiques. Nous avons pratiquement tous conscience de notre besoin de communiquer, de nous sentir compris, de partager des expériences avec quelqu'un — en d'autres termes, *du désir émotif d'intimité et de chaleur avec un autre être humain* — même si ce désir est vécu à des degrés d'intensité très différents.

Examinons tout d'abord ce que sont le besoin et le désir *d'aimer*. Il s'agit à l'origine d'un profond besoin de *valorisation*, de trouver dans le monde ce qui nous touche, nous stimule, nous inspire. Ce sont nos valeurs qui nous lient au monde et qui nous motivent à vivre. Chaque acte que nous posons a pour but de gagner ou de protéger ce que nous considérons bénéfique ou enrichissant pour notre propre expérience.

Si, dès son plus jeune âge, une personne ne trouve rien qui la nourrisse, qui lui soit bénéfique ou plaisant dans ce qui l'entoure, quelles motivations peut-elle avoir pour continuer à se battre et à vivre? Sa croissance, son développement ne seraient-ils pas arrêtés dès le début? Une personne dépourvue de motivation n'est pas intéressée à vivre.

La vie vaut la peine d'être vécue, à tout âge, précisément dans la mesure où nous trouvons des valeurs qui nous stimulent. Un enfant qui ne trouve dans son environnement ni plaisir, ni intérêt, ni curiosité, ni stimulation est pratiquement condamné. Il ne peut survivre à ses premières années.

Les enfants ont besoin de trouver de la joie dans leur monde; ils doivent trouver dans leurs activités, dans leur entourage physique, une promesse de bonheur à partager. L'enfant est une force active, non un réceptacle passif. Son besoin d'aimer peut être aussi fort que son besoin d'être aimé. Et ceci demeure une vérité pour nous tous.

En tant qu'adultes, nous avons pratiquement tous vécu la douleur d'un amour qui n'a pas abouti. Nous avons envie de vivre notre admiration; nous recherchons des êtres, des réalisations que nous pourrons vraiment respecter. Si cette quête reste insatisfaite, nous nous sentons dépressifs et aliénés. Nous vivons dans le monde; nous voulons croire en ses possibilités. Nous sommes vivants; nous voulons voir triompher la vie. Nous sommes humains; nous voulons nous associer à d'autres êtres qui nous inspirent.

Nous sommes d'autant plus conscients de ce phénomène si nous possédons une solide estime de nous-même. Par contre, si nous souffrons d'une grande insécurité, ce besoin peut être dévié par des problèmes d'envie, de jalousie ou de ressentiment envers ceux qui sont plus épanouis que nous. Mais le besoin demeure.

Je pense à la déception de ceux qui atteignent leur but après des années de lutte et qui, contrairement à leurs rêves, n'ont trouvé "au sommet" que des gens fort ordinaires. Je pense aux personnes talentueuses et accomplies qui cherchent désespérément quelqu'un ou quelque chose qui forcerait leur admiration.

En ce sens, nous sommes tous des enfants — nous espérons trouver dans le monde qui nous entoure le phare qui guidera nos pas et qui rendra notre lutte digne d'être vécue.

Une des qualités de l'amour passionné est qu'il nous permet d'exercer notre capacité d'aimer; il nous permet de canaliser notre énergie; c'est une source d'inspiration, une bénédiction de l'existence, une confirmation de la richesse de la vie.

Mais le désir d'aimer, tout comme celui d'être aimé, renferme d'autres élements que nous allons examiner.

Au coeur de l'amour romantique: le principe "muttnik"

Je tiens à relater ici deux incidents personnels qui ont joué un rôle essentiel dans ma compréhension de l'amour et des relations humaines. J'ai déjà raconté brièvement cette anecdote dans *The Psychology of Self-Esteem*. J'en donne ici une version plus élaborée et je considère que c'est là le moyen le plus efficace pour nous faire pénétrer au coeur même de l'amour romantique.

Il s'agit de ce que j'ai d'abord appelé le *principe Muttnik*, puis plus formellement *le principe de visibilité réciproque*.

Vivre intensément le phénomène de visibilité psychologique réciproque est, comme nous le verrons, au centre même de l'amour romantique. Voyons donc ce que cela signifie, pourquoi et comment cela est ainsi.

Un après-midi de 1960, alors que j'étais assis, seul dans mon salon, je me pris à contempler avec plaisir un grand philodendron. Ce plaisir ne m'était pas inconnu mais, pour la première fois, je me posais des questions sur la cause et la nature de ce sentiment.

Je n'étais pas à cette époque ce que l'on appelle un "amoureux de la nature", même si j'en suis devenu un par la suite. Bien que conscient de ressentir une émotion positive pour cette plante, j'étais incapable de l'expliquer.

Ce n'était pas à proprement parler un plaisir d'ordre esthétique, car si j'avais appris que cette plante était artificielle, ma réaction aurait radicalement changé; le plaisir spécifique que j'éprouvais aurait immédiatement disparu. Il me semblait clair que j'étais justement séduit par la *vie* et la robustesse de la plante. Je ressentais comme un lien entre la plante et moi, comme une sorte d'affinité. Étant entourés d'objets inanimés, nous étions unis par notre qualité d'êtres vivants. Je repensais aux gens démunis qui plantent des fleurs pour le simple plaisir de les voir pousser. Apparemment, observer la vie qui bat a une certaine valeur pour les êtres humains.

Supposons, me disai-je, que je me retrouve sur une planète morte où j'aurais tout ce qu'il faut pour assurer ma survie matérielle, mais où rien ne serait vivant. Sur le plan métaphysique, je serais un parfait "étranger". Supposons qu'alors je découvre une plante vivante. J'accueillerais cette découverte avec plaisir et empressement. *Mais pour quelles raisons?*

Je réalisai que la vie — intrinsèquement — implique un combat et que ce combat implique la possibilité d'une défaite; nous aimons vérifier que le succès est possible. C'est là une expérience *métaphysique*. Nous désirons cette preuve, non pas comme moyen d'écarter nos doutes ou de nous rassurer, mais pour avoir la confirmation tangible réelle, immédiate de ce que nous savons sur un plan abstrait, conceptuel.

Si la vue d'une plante nous est précieuse, celle d'un être humain doit l'être d'autant plus. Côtoyer des gens qui réussissent sur le plan professionnel et personnel nous stimule à poursuivre nos luttes. Peut-être est-ce un des plus grands dons que les hommes peuvent se faire. La vue du bonheur, de la plénitude, du succès, de la réussite dépassent de loin les bons conseils ou la charité.

Quelques mois plus tard, je fis une autre expérience qui marqua aussi une étape cruciale de ma réflexion. Je jouais avec Muttnik, mon fox-terrier. Pendant que nous nous battions avec une férocité toute feinte, je remarquai avec fascination l'intelligence avec laquelle Muttnik se prêtait au jeu. Elle me mordait, lâchait prise, s'abandonnait avec confiance. Ceci n'a rien d'original et tous les gens qui ont des chiens le vivent fréquemment. Mais pour la première fois, je me demandai pourquoi je ressentais un tel plaisir et quelle en était la nature. C'était d'une part le simple plaisir d'observer un chien en bonne santé et bien décidé. Mais le point essentiel, c'était mon interaction avec le chien, le fait de communiquer avec un être vivant.

Mon plaisir et mon enthousiasme disparaissaient à la minute où j'imaginais que Muttnik était un automate aux mouvements mécaniques. La conscience jouait donc un rôle essentiel.

Je m'imaginai une fois de plus abandonné sur une île déserte. La présence de Muttnik prenait alors une valeur inestimable, non pour ma survie physique, mais pour la *compagnie* qu'elle m'offrait. Mon chien était l'entité vivante avec laquelle j'établirais une communication, comme celle que j'étais en train de vivre dans mon salon. Je continuai à me demander *pourquoi j'y attachais une si grande importance.*

Je réalisais avec un enthousiasme croissant que cela dépassait de loin le simple attachement à un animal domestique. Il s'agissait du facteur psychologique qui sous-tend tout désir de compagnie *humaine* — la réponse à cette question me permettrait de comprendre pourquoi un être conscient recherche et estime un autre être conscient et *la raison pour laquelle la conscience se trouve valorisée en tant que telle.*

C'est ce que j'appelai, pour une raison bien évidente, le *principe Muttnik.* Voyons à présent la nature de ce principe.

La réaction spécifique de mon compagnon de jeu me renvoyait à la conscience que j'avais de moi-même. C'était là la clé du plaisir que j'éprouvais. Au moment où je commençais à "boxer" avec Muttnik, elle réagissait en jouant. Elle n'était pas effrayée; elle était confiante. Si j'avais poussé ou frappé un objet, sa "réaction" aurait été toute mécanique. Avec un objet, aucune compréhension, aucune connivence, aucun jeu n'était possible. Seules des entités conscientes peuvent ainsi réagir et communiquer entre elles. Le comportement de Muttnik me rendait *visible sur le plan psychologique*, même à un degré très modeste. Mon chien réagissait à moi non en tant qu'objet, mais en tant que personne.

Faisant partie de ce même processus, je faisais l'expérience à un degré supérieur *de ma propre visibilité*; j'entrais en contact avec ma capacité de jeu que j'extériorisais assez rarement à cette époque. L'échange du jeu me permettait l'*auto-découverte*, thème sur lequel nous reviendrons brièvement.

Ce qui est intéressant et significatif, c'est le fait que Muttnik me "répondait" comme à une personne, d'une manière appropriée, correspondant à la perception que j'avais de moi-même et à ce que je lui apportais. Si elle avait réagi en s'aplatissant au sol, terrifiée, j'aurais eu l'impression qu'elle me percevait mal et je n'aurais tiré aucun plaisir de nos jeux.

Cet exemple d'échange entre un homme et un chien peut paraître bien primitif, mais je crois qu'il reflète un schéma manifeste et potentiel entre deux êtres capables de se répondre. Toute interaction positive produit, dans une certaine mesure, une expérience de visibilité. Dans l'amour romantique, cette possibilité atteint son point culminant, comme nous le verrons au cours de cette étude.

Nous devons nous poser la question suivante: pourquoi attacher une telle valeur, pourquoi ressentir un tel plaisir dans l'expérience de la reconnaissance de soi et de la visibilité psychologique qu'entraîne la réponse appropriée venue d'une autre conscience?

L'homme se vit généralement comme un processus. Dans la conscience même se trouve un processus, une activité, et notre esprit renferme un flot mouvant de perceptions, d'images, de sensations organiques, de fantasmes, de pensées et d'émotions. Notre esprit n'est pas une entité statique que nous pouvons contempler objectivement — autrement dit, contempler comme un objet direct d'expérience — comme c'est le cas pour les objets qui nous entourent.

Nous avons, bien sûr, un sens de ce que nous sommes, de notre identité, mais c'est plus un sentiment qu'une pensée. C'est un sentiment très diffus, qui se confond avec d'autres sentiments et qu'il est très complexe, voire impossible, d'isoler et d'examiner distinctement. *La conception que nous avons de nous-même* n'est pas un concept unique, mais un amalgame d'images et d'abstractions relatives à nos caractéristiques, réelles ou imaginaires, dont la somme ne peut être présente à la conscience en un seul moment. Bien qu'on en fasse l'expérience, on ne la *perçoit* pas en tant que telle.

Tout au long de notre vie, nous élaborons mentalement nos valeurs, nos objectifs, nos "missions": ces éléments existent comme des données de la conscience puis, dans la mesure où notre vie est réussie, ils se traduisent en actes et deviennent une réalité objective. Ces données font alors partie intégrante du monde perceptible. Leur expression et leur réalité se matérialisent. Tel est le schéma spécifique et nécessaire à l'existence. *Réussir sa vie, c'est trouver sa place dans le monde; c'est exprimer ses pensées, ses valeurs et ses buts.* Si ce processus échoue, nous ne vivons pas notre vie.

Cependant, la valeur ultime de notre être, — à savoir notre caractère, notre âme, le soi, notre être spirituel — ne peut pas correspondre à ce schéma au sens strict: ce schéma ne peut jamais exister en dehors de notre propre conscience. Nous ne pouvons le percevoir comme extérieur à nous, mais nous *désirons* acquérir une certaine forme de conscience objective; en fait, *nous en avons besoin.*

Étant donné que nous sommes les moteurs de nos actes et que le concept de notre identité, de notre évolution en tant que personne est le centre même de nos motivations, nous désirons et nous ressentons le besoin de vivre le plus pleinement possible notre être comme entité réelle et objective.

Quand nous nous regardons dans un miroir, nous percevons notre visage comme une réalité et nous avons généralement un sentiment de satisfaction à contempler l'entité physique que nous sommes. Se regarder et penser: "C'est moi" a une valeur objective.

Répétons donc que toute vie réussie repose sur l'extériorisation et l'objectivation de ce que nous sommes intérieurement, par un processus où le soi se trouve totalement inclus.

Indirectement, c'est ce qui se passe chaque fois que nous agissons de plein gré, que nous disons ce que nous pensons et ressentons et chaque fois que nous exprimons par la parole et l'action notre réalité profonde.

Que se passe-t-il alors *directement*? Existe-t-il un miroir qui nous renvoie l'image du soi, notre *image psychologique*, le reflet de notre âme? La réponse est que ce miroir existe: c'est une autre conscience.

En tant qu'individus seuls, nous avons une connaissance conceptuelle de ce que nous sommes, du moins dans une certaine mesure. Un autre être conscient nous offre la possibilité de nous vivre objectivement, car il nous permet d'être perçu de l'extérieur, comme nous le disions précédemment.

Il faut dire ici que certaines personnes sont tellement étrangères à ce que nous sommes que les images qu'elles nous renvoient ressemblent plus à une chambre des horreurs! Ce n'est donc qu'avec un être approprié que nous pouvons faire l'expérience de notre visibilité.

C'est ici qu'apparaît la limite d'un animal comme Muttnik. Il est vrai que son attitude me renvoyait un aspect minime de ma personnalité. Ce n'est que dans une relation d'être conscient à être conscient que l'on fait l'expérience optimale de sa visibilité.

Il me faut à présent clarifier un point. Je ne veux pas dire que nous acquérons d'abord un sens de notre identité en dehors de toute relation, puis que nous cherchons à vivre notre visibilité en interaction avec les autres. Le concept de soi n'est en rien la création d'autrui, comme le suggèrent certains auteurs, même s'il est évident que les réponses qui nous parviennent contribuent à l'acquisition de l'image de soi. Nous faisons tous profondément l'expérience de notre identité à l'intérieur de nos relations. Quand on rencontre quelqu'un pour la première fois, on a derrière soi tout un passé: une somme de réactions, d'expériences, de constats. Notre croissance et notre évolution se poursuivent à travers les gens que nous rencontrons.

Dans une relation amoureuse réussie, on ressent un degré unique de fusion et une véritable fascination pour son partenaire. Chacun peut faire l'expérience forte et unique de la visibilité, même dans une relation ordinaire. En ce sens, l'amour romantique procure une source de plaisir et une "nourriture" véritables.

Voyons à présent plus en profondeur le processus de la visibilité, comment elle est engendrée et ses conséquences.

Notre point de départ dans la vie, les valeurs que nous y attachons, notre intelligence, notre façon spécifique d'appréhender la réalité, notre rythme biologique basal sont autant de facteurs dont la somme constitue ce que l'on appelle "le tempérament", qui s'extériorise dans la personnalité. "La personnalité" est la manifestation extérieure de l'ensemble des traits et caractéristiques psychologiques qui distinguent un être humain de tous les autres.

Notre dimension psychologique s'exprime dans notre comportement, nos paroles, nos actes, notre façon de faire et de penser. Tout ceci nous rend perceptibles. Quand les autres réagissent à l'image qu'ils ont de nous, à notre comportement, ils expriment à leur tour leur perception par leur comportement, leur regard, leur façon de communiquer. Si cette perception correspond à la vision que nous avons de nous-même (qui n'est pas forcément celle que nous mettons de l'avant) et qu'elle est transmise par leur comportement, nous nous sentons psychologiquement visibles. C'est dans ce sens que les autres sont notre miroir psychologique. Nous allons voir à présent qu'ils ont un autre rôle dans ce domaine.

Lorsqu'on rencontre quelqu'un qui pense et réagit comme nous, non seulement nous sentons une profonde affinité avec cette personne, mais nous faisons l'expérience du soi à travers la perception que nous avons de notre partenaire. C'est là l'autre facette de l'objectivité. C'est une autre façon extérieure à notre conscience, de nous percevoir dans le monde. C'est une manière différente d'être visible. Le plaisir et la joie que nous ressentons en compagnie de l'"âme soeur" souligne encore l'importance du besoin ainsi satisfait.

La visibilité ne dépend donc pas uniquement de la réaction que l'autre a face à nous. Elle dépend aussi de la façon dont l'autre réagit au monde. Ceci s'applique aussi bien à une simple rencontre qu'à une histoire d'amour très intense.

De la même façon qu'il existe différents aspects de notre personnalité et de notre vie intérieure, il existe différentes façons d'être visibles suivant les relations que nous avons. Le degré de visibilité est donc variable et dépend d'une part de la personne avec qui nous sommes en relation et du type même de ce rapport.

Nous sommes parfois visibles par un trait de caractère, une motivation, une conception de la vie, du travail, de la sexualité, une valeur esthétique. Cette liste est aussi variée que la vie.

Toutes les formes existantes d'interaction et de communication entre individus — sur les plans spirituel, intellectuel, émotif ou physique — constituent une sorte d'amalgame qui met en évidence notre visibilité; à l'inverse, certaines personnes produisent en nous une impression d'invisibilité. La plupart du temps, nous sommes très conscients du résultat, mais totalement ignorants du processus qui y mène. Nous savons seulement qu'en présence de certaines personnes nous nous sentons "chez nous", compris, à l'aise. Le simple fait de discuter avec quelqu'un peut nous rendre visibles. Toutefois, dans une relation intime faite d'admiration et d'attention, nous nous attendons à une visibilité beaucoup plus importante.

Je reviendrai aux facteurs déterminants de la visibilité dans les relations en général. Il reste évident que c'est de l'attitude première que l'on a face à la vie que dépend cette visibilité réciproque qui est l'essence même d'une amitié authentique, et a fortiori d'une relation amoureuse. Un ami, disait Aristote, est un autre soi-même. C'est bien ce que ressentent les amants au plus profond de leur être. "En t'aimant, je vais à ma rencontre." Un amant réagit idéalement, comme nous réagirions à l'image de soi incarné dans autrui. Nous nous percevons dans la réaction de l'autre. Nous percevons notre être dans ses "retombées conscientes" et, par conséquent, dans le comportement de notre partenaire.

Nous pouvons dès lors distinguer une des causes principales du désir humain de compagnie, d'amitié et d'amour: c'est *le désir de percevoir le soi comme une entité réelle; le désir d'expérimenter l'objectivité à travers et grâce aux réactions et aux réponses des autres.*

On peut résumer le *principe de visibilité réciproque* comme suit: *L'être humain a besoin et désire faire l'expérience de sa propre conscience qui passe par la perception de soi comme entité objective. Cette expérience peut se vivre par une interaction avec la conscience d'autres êtres humains.*

Visibilité et découverte de soi

La visibilité se vit selon des degrés divers. Dès l'enfance, nous recevons un certain nombre de réponses appropriées. Chaque enfant fait donc, dans une certaine mesure, l'expérience de la visibilité, expérience sans laquelle il ne pourrait survivre. On sait statistiquement que très peu d'enfants reçoivent une éducation positive, c'est-à-dire une éducation qui comporterait de nombreuses expériences de visibilité avec les adultes qui les entourent. Dans les contacts avec mes patients en psychothérapie ou avec les étudiants qui suivaient nos sessions intensives, j'ai toujours été frappé de constater à quel point les gens qui ont souffert d'invisibilité dans leur contexte familial souffrent de troubles de développement et d'insécurité dans leurs relations amoureuses.

Tout au long de la croissance de l'enfant — dans la mesure où elle se passe sans incidents — les réactions et les réponses de l'entourage permettent à l'enfant de se forger un concept de soi en faisant diverses observations sur lui-même, même s'il ne les croit pas adéquates. La visibilité entraîne souvent le mécanisme de l'auto-découverte.

Cette notion joue un rôle crucial dans les relations entre adultes. Une relation intime qui nous apporte une forte visibilité entraîne toujours, sur certains plans, une découverte de soi, la conscience de capacités jusque-là méconnues, de potentialités latentes et de traits de caractère non reconnus.

Je me rappelle mon premier amour. J'avais 18 ans. Je ressentais une joie, un plaisir immenses à partager des intérêts et des valeurs qui me tenaient à coeur. Je ressentais une visibilité plus intense que jamais auparavant. En même temps, la conscience de mon identité *s'étendait*. Du fait que ma partenaire était une femme, notre interaction accentuait mon identité d'homme.

Toute expérience soutenue de visibilité donne fatalement naissance à une dimension nouvelle de ce que nous sommes et ce phénomène stimule toujours le processus de découverte de soi. C'est là un des éléments les plus vivifiants de la rencontre entre deux êtres: la possibilité d'un élargissement de la conscience de soi. Quand je repense aux relations importantes qui ont succédé à ce premier amour, je me rends compte que chacune d'elle m'a amené à une compréhension chaque fois plus intense de mon identité.

Au cours des quinze années qu'a duré ma relation avec Patrecia, à la fois avant et après que nous soyons mariés, j'ai toujours senti que j'étais engagé plus avant dans l'exploration de moi-même. Ce processus était réciproque et me semblait être l'essence même de nos interactions. C'était une aventure, un défi: celui de porter un regard toujours plus profond en chacun de nous.Lors de nos premières rencontres, Patrecia était beaucoup plus "dans son corps" que je ne l'étais. Elle était beaucoup plus et beaucoup mieux en contact avec ses sentiments; son ouverture émotive et sa volonté d'être transparente me permettaient d'approfondir plus aisément mon contact avec moi-même. Grâce à elle, j'appris que la vulnérabilité est une force, qu'il ne faut pas avoir peur de nous laisser voir tels que nous sommes par les autres, sans nous défendre ni nous excuser. Je rédécouvrais l'enfant en moi, non seulement parce que Patrecia était très proche de son "enfant" à elle, mais aussi parce qu'elle percevait très clairement ce qui se passait en moi.

Paradoxalement, j'arrivais à une compréhension plus vive de ma nature impitoyable et permettait à Patrecia de découvrir la sienne. "J'aime la femme qui est en toi" disait-elle parfois, et cela m'aidait à intégrer une part de moi-même qui m'était inconnue. Il m'arrivait quelquefois de perdre patience dans une situation que j'étais tout à fait capable de maîtriser, et Patrecia me disait: "N'essaie pas de faire semblant que tu n'es pas toi-même." Un jour, c'était au début de notre relation, elle me dit: "Parfois, tu es vraiment d'une arrogance incroyable." Je lui demandai ce qu'elle en pensait et elle me répondit qu'en fait, cela lui faisait accepter ce côté d'elle-même. À sa mort, le seul mot que je pus prononcer fut: merci.

À présent, assis à mon bureau en train d'écrire ces lignes, je la vois qui retient son rire et qui semble me dire: "Est-ce que tu écris tout ça parce que ça t'aide dans ton livre ou bien es-tu en train de m'écrire une lettre d'amour?" Je ne suis pas sûr de la réponse. Mais je sais que quand on tient à expliquer quelque chose d'important, on a tendance à être très abstrait, alors que son vécu est tout aussi précieux.

Visibilité ou pseudo-visibilité?

Le degré de visibilité que connaissent deux personnes qui se rencontrent dépend de leur *volonté* et de leur *capacité* de *voir* authentiquement l'autre.

Deux facteurs importants doivent être cités ici. Ce sont, d'une part le niveau de réciprocité, d'affinité d'esprit entre ces deux personnes et, d'autre part, le degré de concordance entre leur personnalité et leur comportement.

Pour illustrer ce premier facteur, prenons l'exemple d'une femme très sûre d'elle-même qui rencontre un homme anxieux, hostile et insécure. Cet homme réagit avec suspicion. Il interprète son assurance comme un désir de domination, de manipulation. La femme ne se sent pas visible; elle se sent au contraire mystifiée, grossièrement incomprise. En vérité, l'homme ne la voit pas, car le fossé qui les sépare est trop profond. Supposons maintenant qu'un autre homme, témoin de leur rencontre, adresse un sourire de connivence à cette femme; ce signe est une sorte de soutien; elle se détend et répond par un sourire: elle se sent soudain visible.

Voyons maintenant le second facteur. Prenons un homme qui a tendance à rationaliser son comportement et qui extériorise sa *prétendue* confiance en lui par une attitude aberrante. L'image décevante qu'il a de sa propre personne est inévitablement en conflit avec celle qu'il offre aux autres. Il se sent de plus en plus frustré; il souffre d'"'invisibilité chronique'" puisque les réponses qu'il reçoit des autres sont diamétralement opposées à ses prétentions. Ironiquement, si l'on acceptait son comportement, cela ne le rendrait guère plus visible car il sait, au plus profond de sa psyché, qu'il est incohérent avec lui-même. (Mais si quelqu'un percevait, sans mépris ni rejet, l'insécurité qui se cache derrière son comportement, alors il pourrait vivre l'expérience de la visibilité.)

Il existe une visibilité *illusoire* entre personnes immatures dont la vie repose sur d'immenses faux-semblants. Chacun offre son support aux prétentions et aux déceptions de l'autre, moyennant une aide réciproque. Ce "commerce" est bien sûr relativement inconscient. Il est intéressant de noter que dans ces relations, il existe souvent une visibilité *de fait* sous une pseudo-visibilité de surface. Chacun a la conscience que l'autre sait exactement ce qui se passe. Il y a relation et renforcement mutuel par une sorte de compréhension tacite. Ceci ne relève pas de l'amour romantique, mais plutôt de *l'amour immature* dont nous reparlerons plus en détail.

Ces exemples permettent d'isoler un processus. Ils n'expliquent — et n'ont pas la prétention d'expliquer — la complexité d'une relation vécue où se mêlent et se superposent souvent visibilité authentique et pseudo-visibilité, traits réels et traits imaginés, dans une variété d'échanges allant du réalisme optimal à une auto-déception quasi totale.

Visibilité et compréhension

Notre désir d'être aimé est inséparable de notre désir de visibilité. Si quelqu'un dit nous aimer et qu'il nous attribue des qualités que nous ne croyons pas posséder, que nous n'admirons pas ou qui nous sont étrangères, nous ne nous sentons ni aimés ni nourris par cette personne. Nul ne désire être aimé aveuglément; nous voulons qu'on nous aime pour des raisons spécifiques. Ainsi, si une personne dit nous aimer pour des raisons qui sont étrangères à nos perceptions de nous-mêmes et à nos valeurs, nous ne nous sentirons pas aimés parce que nous demeurerons invisibles; il nous semblera que cet amour ne s'adresse pas à nous.

Le désir de visibilité se vit souvent comme un désir d'être compris. Si je suis heureux et fier de mes réalisations, j'ai envie de sentir chez ceux qui me sont chers de la compréhension et de la bienveillance; je souhaite qu'ils partagent les motifs de ma satisfaction. Si un ami me fait cadeau d'un livre en me disant que c'est sûrement un livre qui me plaira, je ressens une certaine gratification si ce jugement s'avère exact, parce que j'ai le sentiment d'être compris, d'être visible. Si je perds quelqu'un qui m'était cher, j'apprécie qu'un ami compatisse à mon chagrin et que mes sentiments fassent partie de sa propre réalité.

Je ressentais l'amour de Patrecia comme jamais auparavant. Je me sentais mieux compris. Une anecdote me revient à l'esprit. Il y a plusieurs années de cela, nous assistions à une soirée et quelqu'un vint me faire des compliments très obséquieux. Patrecia me dit alors: "Il doit t'être très pénible d'être ainsi la cible de gens qui se sentent si insécures. Je voulais dire à cet homme de s'en aller. Et je suis sûre qu'il a pensé que tu étais poli et plein de compassion. Moi je t'ai vu très jeune et solitaire."

Un amour "aveugle" peut aider l'individu mature à calmer son angoisse, mais il ne peut jamais satisfaire son besoin de visibilité. Nous n'avons que faire d'un soutien aveugle et inconditionnel; nous avons besoin d'une perception et d'une compréhension *conscientes*.

La visibilité peut entraîner la sympathie, l'antipathie, la compassion, le respect, l'estime, l'admiration, l'amour ou une combinaison de tous ces sentiments. La visibilité n'entraîne pas nécessairement l'amour, mais l'amour dénué de visibilité n'est qu'une illusion.

Le désir de validation

Il faut distinguer le désir d'être visible de celui d'être reconnu par les autres.

Le désir d'être confirmé, approuvé est normal. Par contre, quand ce désir atteint des proportions déraisonnables — comme lorsqu'on y sacrifie son intégrité et son honnêteté — il dénote un manque de confiance en soi et est alors pathologique. Voyons à présent ce qui rend ces deux désirs bien distincts, même s'il existe, sur le plan de l'expérience directe, une certaine affinité entre les deux.

Le désir d'être visible ne représente nullement une faiblesse ou une incertitude de l'ego. Bien au contraire, moins nous avons d'estime pour ce que nous sommes, plus nous sentons le besoin de nous cacher, et plus nos sentiments à ce sujet risquent d'être ambivalents: nous y aspirons et nous en sommes terrifiés. Plus nous sommes fiers de ce que nous sommes, plus nous avons le désir d'être "transparents" et je suis tenté d'ajouter: plus *nous avons hâte de l'être*.

S'estimer, c'est avoir confiance dans sa valeur et son efficacité. Quand on manque de confiance en soi, on veut à tout prix recevoir l'approbation des autres ou éviter leur désapprobation. On recherche désespérément la validation et le soutien. Certaines personnes rêvent de trouver cela dans l'amour romantique. Du fait que le problème est essentiellement intérieur, que l'individu ne croit pas en lui-même, aucun soutien extérieur ne peut jamais satisfaire, si ce n'est momentanément, ce désir. En fait, l'individu ne recherche pas la visibilité, mais l'estime de soi, et ceci ne peut venir des autres. Le but de l'amour romantique est, entre autres, de permettre une "célébration" de sa propre plénitude, non de la générer chez ceux qui en manquent.

De nombreux psychologues (dont Harry Stack Sullivan) considèrent que l'homme a besoin de l'approbation des autres pour s'approuver lui-même. Aussi populaire et répandu que soit ce point de vue, il ne repose sur aucune évidence.*

Dans la mesure où notre évolution est positive — confiance en soi, autorégulation, indépendance — nous espérons et nous nous attendons à ce que les autres *perçoivent* notre valeur, mais non à ce qu'ils la *créent*. Nous voulons que les autres nous voient tels que nous sommes — et même qu'ils nous aident à clarifier notre vision — mais nous ne voulons pas qu'ils nous inventent à partir de leurs fantasmes. Toute personne en contact avec la réalité ne voit aucun avantage à la mystification.

Au risque de paraître simpliste, disons que l'observation est un moyen très efficace de faire ressortir le contraste entre un individu mûr et autonome et son contraire. L'individu auto-

---

* Même s'il est acquis que le soutien et l'estime que l'enfant reçoit de ses parents jouent un rôle considérable dans son évolution future, il reste que bien d'autres facteurs entrent en ligne de compte, comme la contribution créative individuelle.

nome, quand il rencontre quelqu'un pour la première fois, se demandera ce qu'il pense de cette personne. L'individu dépendant aura tendance à se demander ce que l'autre pense de lui.

Comme nous l'avons vu, nous nous sentons visibles de bien des façons et à bien des niveaux différents. Un simple étranger ne nous apporte pas le même degré de visibilité qu'une connaissance, ni une connaissance, le même sentiment qu'un ami intime.

Dans ce domaine, il est une relation unique: c'est l'amour romantique. Nulle autre relation ne laisse à l'ego une place aussi importante, ne permet une manifestation aussi variée. L'amour romantique célèbre "deux soi-même" de manière incomparable.

En examinant le rôle de la sexualité dans notre vie, nous pourrons apprécier plus pleinement la spécificité de l'amour romantique.

La sexualité dans la vie humaine

Le désir d'union, d'ordre psychologique ou sexuel, constitue une des caractéristiques prépondérantes de l'amour romantique. Et pourtant, on comprend encore mal le rôle de la sexualité. Avant donc de considérer la sexualité dans le contexte de l'amour romantique, faisons quelques observations générales sur le rôle du sexe dans les rapports humains.

Il est évident qu'il s'agit là d'un facteur extraordinairement important. Les gens consacrent énormément de temps à y penser, à en rêver, à aller voir des films sur le sujet, à lire des livres, sans parler de leurs expériences sexuelles proprement dites. L'importance de la sexualité ressort d'autant mieux que la quasi totalité des sociétés élaborent des codes et des lois qui régissent les comportements sexuels des individus. Ceci peut s'expliquer par l'argument majeur qui est que la sexualité permet la procréation. C'est cependant loin d'être la seule raison du contrôle exercé socialement et religieusement sur le désir et l'expression de la sexualité. Nous avons exposé quelques raisons d'ordre philosophique au chapitre I.

L'immense importance de la sexualité réside dans le plaisir intense qu'elle procure aux êtres humains. Le plaisir n'est pas un luxe, mais bien un besoin psychologique profond. Le plaisir (compris dans son sens le plus large) est une sorte de "courroie de transmission métaphysique"; il accompagne la vie; il est la récompense, la conséquence d'un acte réussi — tout comme la douleur est un signe d'échec, de destruction et de mort.

L'action et la lutte pour les valeurs essentielles sont nécessaires à la vie. C'est l'état de joie, de bonheur et de plaisir qui en résulte qui nous fait sentir la valeur de la vie, qui nous fait prendre conscience qu'elle vaut la peine qu'on se batte pour elle. La joie est la stimulation émotionnelle que nous offre la nature. L'état de joie découle normalement de notre réussite.

Le plaisir a une autre signification psychologique. Il nous donne l'expérience directe, immédiate, de notre capacité de succès, de réussite, d'accomplissement — en d'autres termes, de notre force de vie. Le plaisir entraîne implicitement le sentiment que l'on contrôle sa vie et que l'on aime être en rapport avec la réalité immédiate.

Sexualité et célébration de soi

Ainsi, le plaisir offre deux expériences cruciales à notre évolution. Il permet de ressentir *la vie* et *nous-même* comme ayant de la valeur (nous sommes efficaces, maîtres de notre existence, adéquats). Aucune certitude n'est plus importante que celle de la valeur de la vie et de soi-même. Le plaisir et la joie offrent cette certitude *dans la vitalité et l'intensité de l'expérience directe.*

C'est par l'intimité et l'intensité que peut apporter la sexualité que s'explique son emprise dans nos vies. Le sexe procure un plaisir unique car il procède de l'intégration du corps et de l'esprit, de celle des perceptions, des émotions, des valeurs et de la pensée. Il nous offre l'expérience la plus intense, dans sa globalité, et *le sens* le plus intime et le plus profond de notre être. Tel est, il faut bien le souligner, *le potentiel* propre à la sexualité, dans la mesure où l'expérience que nous en faisons n'est ni diluée ni coupée par l'aliénation, la culpabilité ou une relation conflictuelle.

Dans ce domaine, notre propre personne devient la source, le véhicule, l'incarnation immédiate et directe du plaisir. Le sexe nous offre la *confirmation* directe et *sensorielle* que le bonheur est possible. Par l'acte sexuel, plus que par d'autres, on sent que l'on est *une fin en soi* et que notre vie n'a d'autre but que le bonheur. Même si la motivation est immature ou conflictuelle, même si l'acte sexuel se solde par un sentiment de honte ou de culpabilité, tant que l'on apprécie cet acte, c'est la preuve que l'on revendique le droit au plaisir de la vie. Le sexe est l'acte ultime de la revendication du soi.

Ceci est en principe vrai, même quand il s'agit d'une relation superficielle. Mais cette vérité fait force de loi lorsque le sexe devient l'expression de l'amour. L'expérience atteint une intensité maximale lorsqu'elle est simultanément une expression d'amour de soi, de la vie et de l'autre, car on se vit alors comme pleinement *intégré*.

Sexualité et conscience de soi

L'acte sexuel permet l'expérience intense et unique de la conscience de soi, qui provient d'une part de l'acte lui-même et d'autre part de l'échange qui se fait sur le plan verbal, émotif et physique avec l'autre. La nature de la conscience de soi, dans une expérience donnée, dépend de la nature de l'inter-action, du degré et de la qualité de visibilité que nous projetons et que nous recevons. Dans la mesure où nous ressentons une profonde affinité spirituelle et émotive, et si par la suite nos personnalités se complètent harmonieusement sur le plan sexuel, il en résulte une expérience très forte de soi ressentie comme une sorte de "nudité" spirituelle et physique, une sorte d'illumination.

Par contre, dans la mesure où l'on se sent aliéné spirituellement et sexuellement, et étranger pour l'autre, l'expérience sexuelle est vécue comme aliénante ou autistique (au mieux) ou froidement "physique", stérile et absurde (au pire).

Ceci ne veut pas dire que toute personne qui fait l'amour recherche l'amour romantique et est frustrée si la relation n'est rien d'autre que sexuelle. Mais cela veut dire que nous ne connaîtrons jamais les extases d'une union sexuelle si nous sommes aliénés.

Le sexe est la forme de plaisir la plus intense, la plus agréable et la plus propice à la conscience de soi. Un homme et une femme amoureux qui désirent vivre une telle expérience vivent l'amour romantique comme le tribut le plus élevé et le plus intime que l'on peut offrir ou recevoir. C'est la forme ultime de "reconnaissance" de l'autre et de soi.

On a alors la conscience de sa propre efficacité et on sait que l'on devient source de plaisir pour l'être aimé. On sent que c'est pour sa *personne* et non seulement pour son corps que l'on est désiré. (Nous voulons être appréciés comme autre chose qu'un bon "technicien".) On se dit, en fait: "C'est parce que je suis moi et nul autre que mon partenaire réagit ainsi." Nous pouvons donc lire sur le visage de notre partenaire le reflet de notre âme et de notre valeur.

Si le sexe entraîne une véritable célébration de soi, si dans la sexualité nous désirons la liberté d'être spontané, ouvert et sans inhibition, si nous revendiquons notre droit au plaisir et la possibilité de déployer ce plaisir en nous, alors la personne que nous désirons le plus est celle avec qui nous nous sentons accepté, celle qui représente (consciemment ou non) notre miroir psychologique. *C'est la personne qui nous permet de faire l'expérience optimale de ce que nous désirons vivre sexuellement.*

Entre hommes et femmes

Lorsqu'un homme et une femme sont passionnément amoureux, le facteur sexuel élargit considérablement leur désir de se connaître.

Nous voulons alors explorer notre partenaire avec tous nos sens — le toucher, le goût, l'odorat. Nous explorons et partageons des émotions de façon plus régulière et plus approfondie. Les fantasmes de notre partenaire peuvent devenir notre propre intérêt. Les traits de caractère et les actes les plus divers peuvent acquérir une *charge* spirituelle, intellectuelle, émotionnelle et sexuelle.

La polarité mâle-femelle génère sa propre tension dynamique, une curiosité et une fascination qui peuvent être totalement absorbées par l'objet aimé, tout en étant très "égoïstes". C'est là que réside la grande complémentarité de l'amour: notre intérêt s'étend et englobe celui de notre partenaire.

Chacun de nous est plus qu'un simple être humain. Chacun est homme ou femme. S'il est erronné de surestimer le rôle des genres, sousestimer l'impact qu'ils ont dans nos vies l'est tout autant.

Tout être humain porte en lui le concept de son sexe. L'identité sexuelle fait normalement partie intime et intégrante de notre identité personnelle. Nous nous vivons comme homme ou femme. Une personne qui ne ressent pas clairement son identité sexuelle ne peut atteindre une maturation normale.

Masculinité et féminité sont des facteurs biologiques, mais notre identité sexuelle est aussi la façon dont nous en faisons l'*expérience* sur le plan psychologique.

Prenons l'exemple d'un homme honnête; il s'agit là d'une caractéristique purement humaine. Par contre, si cet homme a confiance en lui sexuellement, s'il n'a pas de problèmes dans ses relations avec les femmes, il s'agit d'une caractéristique purement masculine. S'il se sent mal à l'aise en présence d'une femme, il a un problème par rapport à sa virilité (ou masculinité). Une femme qui considère le pénis comme menaçant ou terrifiant a des problèmes de féminité.

Notre identité psychosexuelle, c'est-à-dire notre personnalité sexuelle, est le produit et le reflet de notre réaction en tant qu'êtres sexués, tout comme notre identité personnelle, prise au sens le plus large, est le produit et le reflet de notre attitude en tant qu'êtres humains.

En tant qu'êtres sexués, nous sommes nécessairement confrontés à certaines questions, consciemment ou non. Dans quelle mesure suis-je conscient de moi en tant qu'entité sexuelle? Quelle est mon opinion sur le sexe et sur sa signification dans la vie? Qu'est-ce que mon corps évoque chez moi? De quelles valeurs, de quels plaisirs mon corps est-il porteur? Quelles sont mes réactions face au sexe opposé? Quelle est mon opinion sur la rencontre d'hommes et de femmes? Suis-je capable de répondre librement à cette rencontre? Notre psychologie sexuelle est fondée sur les réponses que nous donnons implicitement à toutes ces questions.

Il est à peine besoin de dire que notre attitude en ce domaine ne se forme pas dans un vide psychologique. Bien au contraire, dans le domaine de la sexualité plus que dans tout autre, notre personnalité tout entière tend vers son expression. De nombreuses études prouvent que le niveau d'estime de soi est proportionnel à la qualité de la sexualité.

Notre sexualité est inhérente à notre humanité. Par conséquent, un individu mûr, évolué vit sa sexualité comme partie intégrante de son être. Cette intégration est indispensable à l'épanouissement de l'amour romantique.

Une féminité et une masculinité saines sont l'expression d'une réponse positive à sa nature sexuelle. Ceci entraîne une conscience forte et enthousiaste de la sexualité, une réponse positive (c'est-à-dire dénuée de crainte ou de culpabilité) et une disposition à faire l'expérience de la sexualité comme *expression* de soi et non comme quelque chose d'obscur, d'étranger, d'incompréhensible, de fautif et de "sale". C'est une réponse positive de valorisation de soi par rapport à son propre corps, une appréciation enthousiaste du corps de son partenaire et une aptitude à la liberté, à la spontanéité et au plaisir qu'offre une rencontre sexuelle.

Il y a plusieurs années de cela, alors que je dirigeais une thérapie de groupe, j'écoutais les participants parler des conceptions de la masculinité et de la féminité dans diverses cultures et à des époques différentes. Quelqu'un me demanda ce que je pensais des sexes. Je répondis spontanément que la masculinité était sans doute la conviction chez l'homme, que le sexe féminin est la plus brillante invention de la nature, et vice versa! J'admets que cette formule manque d'élégance scientifique mais, à bien y penser, je ne crois pas pouvoir donner de meilleure définition aujourd'hui.

Il est très facile de voir l'énorme plaisir que l'homme ressent à être mâle et le plaisir tout aussi grand que la femme ressent à être femme, ainsi que la joie qu'ils éprouvent chacun à la rencontre de leurs deux corps. Ils découvrent dans l'intimité et la passion que "l'autre" n'est en fait que l'*autre côté de soi-même.**

---

* Chacun de nous porte dans son psychisme une variété de connotations et d'associations relatives aux termes "féminin" et "masculin". Le sens que chacun y met reflète des événements de notre histoire individuelle, les

Tout comme notre personnalité sexuelle est constitutive de notre identité humaine, elle est aussi essentielle à ce que nous voulons objectiver et voir se refléter dans une relation. L'expérience de *visibilité totale* et d'*objectivation de soi* entraîne le fait que l'on soit perçu et que l'on se perçoive non seulement comme une certaine forme d'humanité, mais comme "cet homme" ou "cette femme."

En fait, nous désirons les deux: être perçu en tant qu'être humain spécifique et en tant qu'homme ou femme spécifique.

Un homme peut désirer que sa femme reconnaisse sa force, sa sensibilité, sa vulnérabilité, son besoin de ne pas toujours être responsable ni de tout contrôler. Il peut lui demander de comprendre que cela n'est ni conflictuel ni contradictoire, mais que cela fait partie des multiples facettes de sa personnalité. Une femme peut désirer que l'homme apprécie sa sensibilité et son intuition au même titre que sa force ou son agressivité et qu'il comprenne que cela fait partie d'elle-même.

La meilleure expérience de visibilité et d'objectivation de soi se fait dans l'interaction avec une personne du sexe opposé. Nous portons tous des aspects mâles et femelles en nous; chez un homme, le principe mâle prédomine, tout comme prédomine chez la femme le principe femelle. Dans une relation avec une personne du sexe opposé, nous avons la possibilité d'expérimenter le vaste éventail des traits de notre personnalité. *La polarité homme-femme génère et accentue cette prise de conscience.*

Il est bien sûr plus facile de comprendre une personne de son propre sexe. Un homme comprendra mieux qu'une femme

---

modèles mâles et femelles qui nous ont inspirés, les divers points de vue hérités de notre culture, nos réflexions personnelles à ce sujet et enfin les forces biologiques profondes de notre organisme qui nous envoie des "codes" que l'on a à peine commencé à déchiffrer.

ce que la masculinité veut dire et vice versa, mais *un champ plus vaste de possibilités* peut être exploré entre personnes du sexe opposé. Ce type de relation offre *un registre plus étendu* et permet de créer une "musique" plus riche.

Une personne du sexe opposé avec qui l'on a des affinités, tant sur le plan des valeurs que sur celui de l'esprit, et dont on ressent les différences comme des complémentarités, est souvent capable de nous percevoir et de réagir personnellement en tant qu'être humain et en tant qu'être sexué. C'est la différence sexuelle qui représente, du moins potentiellement, la plate-forme la plus large pour "connaître" l'autre.

Je n'évoquerai pas ici la question complexe et difficile de l'homosexualité ou de la bisexualité. Il est bien évident que ce livre est axé sur l'hétérosexualité; nous nous préoccupons ici du modèle de relations entre hommes et femmes, même si une grande partie de ce que nous avons dit s'applique très clairement à des relations amoureuses homosexuelles. Si l'on considère l'homosexualité ou la bisexualité comme ayant le même niveau de maturité que l'hétérosexualité, certaines des observations précédentes sont irrecevables. Si d'un autre côté, et c'est là mon point de vue, on considère l'homosexualité et la bisexualité non pas comme "fausses" ou "immorales" ou légalement répréhensibles, mais comme reflétant généralement une déviance, un blocage dans le cours de l'évolution, j'ai le sentiment que mon raisonnement sera mieux entendu et peut-être plus persuasif.

Être désiré, sexuellement et psychologiquement, c'est être vu et désiré pour sa personne et pour son appartenance sexuelle. L'essence de la réponse amoureuse est: "Je te vois en tant que personne et parce que tu es "toi". Je t'aime et je te désire parce que cela me rend heureux en général, et sexuellement heureux en particulier."

La réponse spirituelle, émotive et sexuelle à notre partenaire vient de ce qu'on le voit comme l'incarnation des valeurs que nous chérissons le plus, comme l'être le plus important pour notre propre bonheur. Les valeurs que nous chérissons les plus ne sont pas nécessairement les plus nobles ou les plus exaltées, mais les plus importantes pour nos besoins et nos désirs, dans l'expérience que nous voulons faire de la vie. L'objet de notre amour est essentiel à notre bonheur *sexuel*. Nos besoins spirituels et physiques se rejoignent et nous expérimentons de la façon la plus exaltante qui soit le sens de notre *intégralité*.

La réponse que provoque l'amour romantique

Faisons ici le point des besoins fondamentaux auxquels peut répondre l'amour romantique.

Il y a le simple besoin de compagnie, le besoin d'aimer et d'admirer, le besoin d'être aimé et de se sentir visible, celui de se découvrir soi-même et de s'épanouir sexuellement et celui de faire l'expérience totale de soi en tant qu'homme ou femme.

Il y a aussi le besoin d'un univers privé, d'une sorte de refuge par rapport aux luttes du monde, que l'amour romantique a le pouvoir unique d'offrir. Citons aussi le besoin de partager nos joies, nos enthousiasmes et d'être en vie — de se nourrir et de s'enrichir mutuellement de la joie de l'autre.

J'ai utilisé le mot "besoins" non parce que nous mourrions s'ils n'existaient pas, mais parce qu'ils contribuent largement à notre bien-être en nous permettant de fonctionner efficacement. Ils ont à ce titre une *valeur de survie*.

Ordinairement, nous ne réfléchissons pas sur les besoins que nous cherchons à satisfaire dans l'amour romantique. Nous les ressentons simplement, sans les conceptualiser. La valeur pratique de la réflexion entreprise ici est, d'une part, qu'elle nous aide à comprendre la nature de l'amour et d'autre part, qu'elle nous fournit les critères nécessaires pour évaluer nos relations. Si, par exemple, nous ne nous sentons pas visibles dans une relation, malgré un amour dit partagé, cela nous aide à mettre le doigt sur quelque chose qui fait défaut — *à condition que nous soyons conscients de l'importance de la visibilité.* Nous reviendrons sur ce sujet au chapitre IV.

Il nous est donc impossible de comprendre les racines de l'amour romantique si nous ne prenons pas en considération les facteurs bien particuliers qui font que nous tombons amoureux d'une personne et non d'une autre. C'est ce processus de sélection que nous allons à présent examiner.

Chapitre III

Le choix

Prologue: le choc de la reconnaissance

Observons la manière de vivre l'amour, le désir et le plaisir qui font une relation heureuse. Le tracé n'est si simple, ni rectiligne, mais suit des fluctuations à travers tout un cycle de renforcements mutuels et continus. Aimer quelqu'un, c'est le percevoir comme la source d'un bonheur réel ou potentiel; le désir naît et les actes qu'il engendre sont eux-mêmes source de plaisir et de joie; le plaisir à son tour intensifie le désir et l'amour, et ainsi de suite. C'est de cette façon que l'amour se développe et se renforce.

La fascination, l'attirance, la passion peuvent être un véritable "coup de foudre". L'amour requiert la connaissance qui, elle, requiert du temps. "Le coup de foudre" dont parlent tant de gens n'est en fait que l'impression qu'ils gardent, avec le recul, une fois que la réponse émotive se trouve validée et confirmée par des expériences ultérieures qui font que l'amour évolue.

Toutefois, dès le début d'une relation, et parfois même dès la toute première rencontre, les futurs amants ressentent souvent "un choc soudain de reconnaissance", l'étrange sensation de familiarité, l'impression de connaître déjà l'autre à un certain niveau, d'une manière mystérieuse qui paraît inexplicable. S'il existe bien une fascination pour "l'étrangeté" de l'autre, il existe aussi très souvent son opposé, à savoir le sentiment de "connu", subtil et pourtant très fort, comme si la personne concrétisait quelque chose de latent, de déjà existant psychiquement. Ainsi, le "choc de la reconnaissance" permet de voir l'autre comme étranger et familier à la fois.

Il nous faut comprendre ce qui déclenche cette attitude initiale et sur quoi repose le lien qui se forme. J'ai déjà parlé d'un amour passionné qui repose sur une sorte de "réciprocité d'esprit et de valeurs". Ceci est une abstraction qui a de nombreuses applications. Nous allons voir à présent quelles en sont les conséquences et les diverses manifestations et comment il est parfois possible de les détecter dès les premiers instants. Les réponses que nous trouverons nous aideront à faire la lumière sur la spécificité de la personne aimée.

Le sens de la vie

Il est un concept essentiel à la compréhension de l'amour romantique et à celle du processus de sélection: c'est celui du "sens de la vie". L'amour romantique implique à la base un sens profond et partagé de la vie.

Le sens que l'on a de la vie est la forme émotive par laquelle nous faisons l'expérience de notre rapport à l'existence. En effet, c'est le corollaire émotif d'une métaphysique *personnelle*, pourrait-on dire, qui reflète l'ensemble de nos positions face au monde, à la vie et à nous-même.

Notre conception de la vie peut refléter un sens fort et vigoureux de l'estime de soi, doublé d'un sens positif de la valeur de l'existence où l'univers semble ouvert à nos pensées et à nos efforts; il peut aussi refléter la torture du doute et l'anxiété face à un univers inintelligible et hostile. Le sens que nous avons de la vie est très variable, aussi variable que nous-même. Exaltation, absurdité, confiance en soi, doute, amertume, ressentiment, méfiance, résignation, impuissance agressive, masochisme: tel que l'on est, on perçoit.

Notre conception de la vie se forme dès la prime enfance, donc bien avant toute conceptualisation. Au cours de cette évolution, nous sommes inévitablement confrontés à certains faits réels concernant la nature, la vie en général et la vie humaine en particulier, et nous réagissons à chacun de ces faits de façon spécifique. C'est la somme de nos "réponses" qui détermine notre conception de la vie. Les observations et les connaissances acquises à l'âge adulte transformeront aussi notre attitude, mais il reste que l'acquis de l'enfance est assez déterminant.

Prenons un exemple qui prouve combien la *conscience* et la *vigilance* sont des nécessités vitales, combien nous avons besoin de la connaissance, et l'effort de conceptualisation que son acquisition requiert. Une personne jeune développe progressivement son point de vue et ce n'est pas une affaire de décision explicite ni de choix unique. C'est en se confrontant, en s'impliquant par rapport à une longue série de choix qu'on est amené à réagir et à étendre son niveau de conscience. Nous n'évoquerons pas ici les divers facteurs qui déterminent le type de schéma qui en sortira. Nous nous contenterons de dire *qu'un schéma s'établit.*

Selon une multiplicité de facteurs, nous apprenons à réagir positivement et joyeusement; nous apprenons le plaisir vif qui réside dans l'exercice de l'esprit. On peut aussi aborder l'effort intellectuel en renâclant et le voir comme un devoir, comme une "pénible nécessité". On peut aussi être empli de crainte et de ressentiment et se soustraire à une tâche que l'on juge imposée, dès qu'on en a l'occasion.

Ce qui se développe graduellement et ce qui se renforce en nous, est une tendance, une sorte d'habitude, une prise de position, une *implication de base*. C'est ainsi que se construit l'attitude que nous aurons face à la vie.

Étant donné le très grand nombre de facteurs qui interviennent dans ce domaine, je me contenterai de citer les principaux.

L'être humain n'est ni omniscient, ni infaillible. Très tôt, il découvre d'une part qu'il doit acquérir ses connaissances en passant par un processus de conscience "dirigée" (motivation-but) et d'autre part qu'il n'existe aucune garantie que ses efforts seront couronnés par le succès. Deux attitudes se distinguent: soit que l'on accepte sa responsabilité de pensée et de jugement de façon réaliste, sans angoisse, en assumant les conséquences de ses actes et en reconnaissant que l'aléatoire fait partie du jeu; soit que l'on réagisse avec crainte; on réduit alors au strict minimum le champ de la conscience et de ses actes, afin de minimiser les responsabilités et le "risque" d'erreur; on laisse aux autres l'implication tant redoutée et l'on abandonne tout jugement personnel.

Deux personnes qui se rencontrent et qui réagissent de façon radicalement opposée aux défis de l'existence, ne peuvent en aucun cas vivre une relation "romantique".

Notre réalité d'être humain consiste à vivre à "long terme", à projeter nos buts dans le futur et à travailler à leur réalisation. Ceci implique la capacité et la volonté de déférer des plaisirs et d'endurer certaines frustrations inévitables. Le simple fait de vivre nous oblige à considérer les conséquences de nos actes; on ne peut échapper au lendemain. (Nous ne parlerons pas ici du cas bien spécifique de ceux qui ignorent le présent, ne vivant que dans le futur.) On peut apprendre à accepter la réalité des lendemains et admettre que chaque acte porte en lui ses conséquences; on peut avoir une vision réaliste de la vie, sans s'apitoyer sur son sort et préserver ses croyances en certaines valeurs. Il arrive que l'on se révolte contre un univers qui n'exauce pas immédiatement nos désirs et que l'on recherche alors uniquement des valeurs "faciles".

Il est un fait que nous sommes tous confrontés à la souffrance ressentie ou observée — à un certain degré, qui est variable selon les individus et les circonstances. Ceci est inévitable. Ce qui ne l'est pas, c'est le pouvoir dont nous investissons la souffrance et le sens que nous lui donnons dans nos vies. Nous pouvons, malgré l'adversité, préserver notre conception positive de la vie, garder la conviction que le bonheur et le succès sont naturels, normaux et que par contre la douleur, la défaite, les déceptions et les désastres sont accidentels et anormaux (tout comme la maladie). Nous pouvons également décider que ces éléments négatifs sont l'essence même de la vie et que bonheur et succès sont des "accidents" et des anomalies.

Il tient à la nature de tout organisme vivant d'agir pour préserver sa vie et son bien-être. Il appartient à l'être humain de *choisir* afin de donner un valeur telle à sa vie et au bonheur, qu'elle génère la conscience, l'effort, la pensée et l'action requis pour leur accomplissement. Ce processus n'est pas automatique pour nous, humains; nous ne sommes pas programmés biologiquement pour faire le choix juste, celui qui sert notre bien-être. Nous pouvons développer le respect de soi en désirant solennellement le bonheur, en restant inébranlables face à nos valeurs et en n'acceptant jamais qu'elles soient l'objet du renoncement ou du sacrifice; ou bien, redoutant l'effort, la responsabilité, l'intégrité et le courage que requièrent cet égoïsme rationnel et cette auto-valorisation, nous pouvons faire don de notre âme avant même qu'elle ne soit pleinement formée et abandonner par laxisme et appréhension nos aspirations, nos valeurs et notre bonheur.

Le sens que nous donnons à la vie a une importance cruciale dans la formation de nos valeurs premières. Tous les

103

choix de ce type reposent sur la vision implicite que nous avons de l'être qui évalue et du monde dans lequel il doit évoluer et agir. Le sens que nous donnons à la vie sous-tend tous les autres sentiments et toutes les réponses émotionnelles; c'est comme le leitmotiv de l'âme, le trait fondamental de la personnalité. *Toutes ces données* qui relèvent de notre conception de la vie s'appliquent à l'amour romantique. "L'âme soeur" est celle qui partage notre sens de la vie.

Lorsque nous rencontrons quelqu'un, nous percevons la mélodie d'une musique intérieure. Nous sentons comment l'autre se perçoit, sa joie de vivre, ses craintes, ses défenses, son attitude face à la vie. Nous évaluons son degré de "vie" ou de morbidité, et notre corps, notre émotivité répondent et réagissent plus vite que nous ne pouvons le formuler.

Dans une relation romantique, la réponse affirmative offerte par chacun des participants en ce qui concerne la conception de la vie — réaction qui peut se produire dès la première rencontre — joue un rôle crucial dans l'expérience amoureuse et dans la projection de la visibilité réciproque. C'est même souvent le facteur qui déclenche la relation. Les amants se disent implicitement: "Nous avons la même vision du monde. Nous abordons la vie de la même manière. Nous ressentons le fait d'être en vie de façon identique."

Lors de sessions intensives qui avaient pour thème: *l'estime de soi et les relations romantiques*, j'ai demandé aux étudiants de faire un exercice qui avait pour but de les rendre conscients de la grande connaissance intuitive que l'on peut avoir des autres. Je demandai à chacun de s'asseoir par terre en face d'un inconnu et de le fixer sans parler, sans bouger, simplement en essayant de s'imprégner de l'autre, en laissant libre cours à ses impressions et son imagination sans censure, en essayant d'imaginer la personne enfant, amoureuse compagne et en imaginant ses conflits, ses luttes, etc.

Après quelques instants de silence, quelqu'un prend la parole et fait partager ses impressions aux autres, tandis que son "vis-à-vis" écoute en se taisant. Puis on inverse le processus; c'est l'autre qui prend la parole. On demande alors aux deux individus de faire leurs commentaires et de donner leur avis sur le portrait ainsi réalisé. Il est toujours frappant de constater à quel point les gens sont surpris, voire enthousiasmés, par la justesse des déductions. Ils exultent et sont souvent décontenancés par leur sensibilité et par l'acuité de leurs perceptions. Car la plupart d'entre eux n'avaient pas conscience de cette richesse.

Il existe bien des façons de communiquer notre conception intime de la vie. La plus rare est certainement la conceptualisation. Au cours de la progression d'une relation, la connaissance de l'autre commence à se faire jour sous des formes de mieux en mieux identifiables (reconnaissables). Les deux personnes découvrent leurs affinités, apprennent ce qu'elles valorisent, ce qu'elles rejettent, en observant, par exemple, leur façon de sourire, de parler, de se tenir, de se mouvoir, d'exprimer des émotions, de réagir à des situations données, et ainsi de suite. La façon dont chacun réagit à l'autre, les choses dites, les silences, les explications superflues, les signes soudains et inattendus de compréhension mutuelle, tout cela constitue un mode spécifique mais universel de communication et de connaissance de l'autre.

C'est parfois à travers l'art et les discussions que provoque ce sujet que deux individus cernent leurs affinités naissantes. L'art constitue un "terrain" très riche, par sa teneur vitale et philosophique. C'est un test assez probant sur les réactions de chacun face à la vie.

Les discussions qui naissent alors ont leur importance. Mais il faut être bien conscient qu'une affinité purement abstraite, intellectuelle, ne suffit pas à établir une affinité plus fondamentale. En fait, il arrive que ces "accords" soient source de conflits et d'incompréhension: étant d'accord sur un point, les individus surévaluent leur entente ultérieure. J'ai vu bon nombre de jeunes gens se marier, car ils estimaient que leur grande entente au niveau philosophique suffirait à bâtir une relation intime et durable.

Or, l'expérience de la visibilité n'est possible que s'il existe une affinité de base face à la vie même. On ne ressent pas une très grande gratification d'une personne qui nous admire tout en ayant un point de vue sur la vie diamétralement opposé au nôtre. En fait, on se sent alors admiré pour de mauvaises raisons.

Prenons par exemple le cas d'un homme qui a une grande confiance en lui, une vue positive de la vie et qui poursuit un but difficile. Une femme qui voit la vie comme une tragédie l'admire, mais l'admiration qu'elle projette correspond à une image héroïque, celle d'un martyr. L'homme ne se sent pas visible, ni gratifié, car son image vraie et la projection de sa compagne sont incompatibles.

Dans une relation amoureuse optimale, on est admiré pour ce pourquoi on désire l'être et — fait tout aussi important — d'une façon et d'un point de vue qui concordent parfaitement avec notre point de vue. Il peut alors y avoir attraction passionnée et durable, grâce à une compatibilité "existentielle". *Nous sommes attirés par des gens possédant une même qualité de conscience que la nôtre.*

Si le *fondement* même d'une relation repose sur des similitudes de base, *la joie et l'enthousiasme* qu'elle procure reposent dans une large mesure sur les différences complémentaires. Ces deux facteurs combinés forment le terrain propice à la naissance de l'amour romantique.

Les différences complémentaires

Le principe des ressemblances et des différences complémentaires s'observe au niveau le plus fondamental du phénomène d'attraction entre un homme et une femme. Sur le plan le plus abstrait, la première affinité de base est leur qualité d'*êtres humains*. Quand à la différence complémentaire qui donne tant de richesse à la rencontre, c'est qu'il s'agit d'un *homme* et d'une *femme*.

Sur le plan psychologique, rencontrer quelqu'un dont l'attitude ressemble à la nôtre, dont nous reconnaissons intimement une façon "d'être au monde" et dont le processus d'adaptation et de résolution ressemble au nôtre provoque en nous un choc de reconnaissance et tisse entre l'autre et nous un lien profond. C'est là que réside le fondement de toute relation. Sans cela, il ne peut y avoir d'amour sérieux et mature. Il n'existe bien sûr aucun individu qui soit identique à un autre dans son comportement, sa capacité de réalisation et sa manière d'être. Tout comme il existe une spécialisation dans le travail, il existe une spécificité dans le développement des personnalités.

Les exemples sont multiples: on peut être intellectuel, intuitif, actif, contemplatif, artiste, "touche à tout", passéiste, rêveur, résolument dans le présent, futuriste; on peut attacher une extrême importance au travail, à la vie spirituelle, se passionner pour les relations et la communication, être matérialiste, etc.

Ces "potentiels" s'expriment et s'actualisent à divers niveaux. Ils existent tous en chacun de nous, mais leur combinaison est aussi unique que le sont nos empreintes digitales.

On est généralement plus porté à aimer une personne qui possède à la fois des ressemblances et des différences qui nous sont complémentaires. On les ressent alors comme stimulantes, excitantes, revigorantes. Elles constituent une véritable force dynamique qui rehausse notre expansion, notre vitalité et notre croissance.

Il faut bien dire que toute différence n'est pas complémentaire. Elle peut parfois être antagoniste. C'est donc simplifier que de dire que "les contraires s'attirent", car il est tout aussi vrai qu'ils se repoussent. Certains hommes et certaines femmes réagissent au temps, à l'action, au monde de façon tellement différente qu'il y a conflit, irritabilité et impatience entre eux, ce qui empêche toute intimité.

Dans les cas positifs, hommes et femmes vivent leurs différences comme enrichissantes, car elles leur permettent de libérer des ressources latentes. La rencontre devient une véritable aventure dans le monde de la conscience et de la vie.

Ainsi, un couple représentant d'une part une tendance intellectuelle et d'autre part une tendance intuitive peut se trouver très enrichi, à condition que chacun respecte et apprécie son partenaire. Si la différence d'approche est vécue comme antagoniste, il y a forcément discordance et conflit.

Un couple à tendance active d'une part et spirituelle d'autre part, peut lui aussi se trouver enrichi, suivant que les partenaires parviennent ou non à accepter et à respecter le point vue de l'autre.

Il est à remarquer que l'on est souvent très intolérant envers quelqu'un qui présente certains traits de caractère que l'on a refoulés chez soi. J'ai connu une femme qui, ayant totalement renié son côté agressif, ne supportait pas cet aspect chez son partenaire. Je connais un homme qui, s'étant coupé de sa propre sensibilité, ne supporte pas que sa femme extériorise la sienne. Il est fréquent que mari et femme se disputent pour des traits de caractère qu'ils possèdent mais qu'ils renient. Je pense à un ami qui ne pouvait supporter de se sentir perdu et qui se mettait très en colère contre sa femme quand elle se montrait fragile et vulnérable. Il ignorait qu'en fait il appréciait ce "laisser-aller" chez sa femme, car elle portait cette caractéristique pour deux. Il m'est arrivé de travailler avec une femme très active et pleine d'ambition. Elle se plaignait parfois de la passivité de son mari, tout en valorisant cette qualité en lui: grâce à lui, elle la vivait par procuration, comme un luxe secret qu'elle se refusait.

L'amour romantique coexiste souvent avec certaines frictions dont j'ai déjà parlé. Chaque jour, des individus tombent amoureux, tout en considérant le caractère de l'autre comme opposé au leur.

Le conflit se résoud souvent lorsqu'on reconnaît et qu'on assume personnellement des "défauts" qui nous ennuient ou nous frustrent chez l'autre; apprendre à accepter qu'ils font partie de nous nous rend beaucoup plus tolérants envers l'autre.

Les différences complémentaires entre personnes qui acceptent leur personnalité propre et celle des autres peuvent être une source très riche de stimulation et de croissance, ainsi que d'auto-découverte. Chacun est une porte qui donne accès à des mondes nouveaux. La réussite, dans ce domaine, est directement proportionnelle à l'estime que l'on a de soi, car la différence n'est pas perçue alors comme une menace.

On voit souvent chez l'autre la matérialisation d'une partie de notre être qui lutte pour voir le jour. Si cet effet est réciproque, l'amour a toutes les chances de germer dans une relation qui offre le "terrain" favorable au contact, à la vie, à l'interaction.

En fait, on peut acquérir si l'on veut une vue plus profonde de sa relation en se posant la question suivante: "*Quels aspects de moi-même mon partenaire réussit-il à me faire percevoir? Comment est-ce que je me vis dans cette relation? Quelle part de moi se trouve vivifiée par sa présence?*" Ce "mini-test" permet d'évaluer ce qui détermine notre amour pour une personne donnée.

Il me faut préciser ici un point qui a son importance. Nous avons vu que les différences peuvent être complémentaires et enrichissantes. Mais qui dit différence, ne dit pas défaut ou travers différent. Aucun défaut n'est "complémentaire", car il est des différences fondamentalement antagonistes. Pour qu'il y ait complémentarité, il faut qu'il y ait *option.* La malhonnêteté ne laisse aucun choix à l'honnêteté, pas plus que la haine de soi n'en laisse à l'amour de soi. Ce ne sont pas des orientations de même nature, car elles sont tout-à-fait opposées dans leur essence. Dans un domaine aussi important, on désire l'affinité. Quand on parle de personnalité ou d'attitude, toute différence de valeur égale est la bienvenue.

Il arrive parfois qu'une personne malhonnête soit attirée par son contraire et qu'une personne très insécure soit attirée par quelqu'un ayant confiance en soi. Ce sont des cas assez typiques, où l'on recherche en fait chez l'autre ce qui fait défaut chez soi. Mais l'attirance n'est pas réciproque, elle est unilatérale. Il ne peut donc y avoir amour mutuel.

Quand la relation repose sur une base positive, c'est-à-dire quand il y a combinaison des affinités et complémentarité des différences, s'il existe de surcroît une certaine disponibilité, l'amour commence à se développer, sans que le couple ne rationalise l'attirance qui les unit. Ceux qui restent ensemble pendant de longues années continuent de découvrir de nouvelles "raisons" d'aimer que seule leur intuition avait décelées et qui n'avaient pas franchi le seuil de la conceptualisation. Il n'est d'ailleurs pas nécessaire de nommer toutes les raisons de l'amour. Cependant, quand on désire explorer ce domaine, il est utile de se demander, par exemple, *en quoi nous ressemblons à l'autre et de quelle nature sont ces différences qui nous stimulent et nous plaisent.*

Il faut bien préciser que la seule énumération des caractéristiques n'est jamais totalement satisfaisante et insister sur la manière dont elles interagissent et sur l'équilibre qu'elles atteignent dans une personnalité donnée. Tout est ici question de "dosage" et de "degré". Personnellement, j'ai toujours apprécié qu'une femme soit un peu "masculine". Mais entre une femme "garçonne" et une femme patibulaire, il y a tout un monde! J'ai pour ma part toujours perçu les femmes dénuées de toute caractéristique masculine comme peu intéressantes; de nombreuses femmes seront d'accord avec moi pour dire qu'un homme dénué de féminité n'est guère plus intéressant.

Parlant de spécificité amoureuse, nous nous sommes basés, de manière plus ou moins implicite, sur l'amour romantique — autrement dit sur une relation empreinte de maturité. Il faut souligner que le principe de l'affinité et de la complémentarité des différences s'applique tout aussi bien dans des relations amoureuses dénuées de maturité. Si l'on se réfère aux statistiques dans ce domaine, on constate que ces relations sont assez courantes. Nous allons donc examiner la différence qui existe entre l'amour immature et l'amour romantique.

L'amour immature

Quand on parle de "maturité" et d'"immaturité", on se réfère au succès ou à l'échec de l'évolution biologique, intellectuelle et psychologique d'un individu, et au fait qu'il parvient ou non à "l'âge adulte".

Dans les relations matures, qui dit "différences complémentaires" dit, de façon prédominante, *forces* complémentaires. Dans les relations immatures, il n'y a que complémentarité des *faiblesses*, c'est-à-dire des besoins, des désirs et autres traits de la personnalité qui reflètent un échec du développement et une faille dans l'évolution psychologique. Nous retrouverons ici les questions de l'isolement et de l'individuation qui, selon la façon dont elles sont vécues, conduisent ou non à l'autonomie de l'adulte.

Bien des gens, s'ils exprimaient en mots — et c'est très rarement le cas — leur attitude face à la vie diraient ceci: "Quand j'avais cinq ans, certains de mes besoins importants n'ont jamais été satisfaits — et tant qu'ils ne le seront pas, je ne grandirai pas!" Ces gens sont donc essentiellement passifs, même si à des niveaux superficiels ils ont une attitude active, voire agressive. Au fond, ils attendent d'être sauvés. Ils attendent qu'on leur dise qu'ils sont de bons petits gars ou de bonnes petites filles; ils attendent une confirmation de leur valeur venant de l'extérieur.

Ils peuvent ainsi organiser leur vie entière sur le désir de plaire, d'être pris en charge ou, alternativement, le désir d'exercer un contrôle et une domination, de manipuler et de *réprimer* la satisfaction de leurs besoins et de leurs désirs, parce qu'ils ne croient pas que l'on puisse les aimer ou s'occuper d'eux authentiquement. Ils ont toujours la conviction que sans leur façade et leurs manipulations, être eux-mêmes *ne suffit pas*.

Qu'ils aient une attitude de dépendance ou d'abandon, qu'ils veuillent tout contrôler, surprotéger, être responsables ou être "adultes", ils ressentent en eux une insuffisance, un manque que, pensent-ils, seuls les autres pourraient combler. Ils sont aliénés de leur source intérieure de force et de vitalité. Ils sont étrangers à leur propre pouvoir.

Qu'ils recherchent l'accomplissement et l'épanouissement par la domination ou la soumission, par le contrôle imposé ou subi, par l'ordre ou l'obéissance, il existe chez eux ce même sens profond de vide, de trou, où le soi autonome ne peut pas se développer. Ils n'ont jamais assimilé ni intégré le fait essentiel de l'isolement humain; ils n'ont pas atteint l'individuation; ils ont manqué le rendez-vous de leur évolution.

Ils n'ont pas réalisé le transfert de l'approbation des autres à eux-mêmes. Ils n'ont pas atteint le stade de l'auto-responsabilité. Ils n'ont pas accepté l'isolement ultime de tout être humain. Tout cela handicape leur faculté de relation.

Ils considèrent les autres avec suspicion, hostilité; ils se sentent aliénés ou encore voient les autres comme des bouées de sauvetage qui leur permettent de ne pas sombrer dans la tempête de leur angoisse et de leur insécurité. Les personnes immatures ont tendance à considérer les autres comme devant répondre exclusivement à leurs besoins, à leurs demandes; ils ne voient pas les autres comme des êtres à part entière (un peu comme l'enfant voit ses parents). Ils sont dépendants et manipulateurs dans leurs relations; deux personnes manquant de maturité ne peuvent se sentir autonomes, libres de s'exprimer honnêtement et de s'apprécier mutuellement. Au contraire, elles pensent que l'amour résoudra leurs problèmes intérieurs, qu'il résoudra d'un coup de baguette magique les problèmes inachevés de l'enfance et qu'il comblera les trous de leur personnalité; pour eux, l'amour est le substitut de la maturité.

Ce sont quelques-unes des "similarités de base" courantes dans les relations immatures. Comprendre comment naît ce type de relation, c'est aussi comprendre pourquoi il meurt généralement si rapidement.

Une femme immature repense à son enfance en voyant son partenaire. Elle se dit: "Mon père m'a toujours rejetée; tu prendras sa place et tu me donneras tout ce qu'il ne m'a pas donné; je créerai un foyer, je préparerai tes repas et je porterai tes enfants. Je serai ta gentille petite fille."

Voyons un autre cas. Une femme se sent rejetée, mal aimée de ses parents. Elle ne reconnaît pas l'importance de sa blessure et adopte en apparence un comportement adulte. Cependant, elle conserve en elle l'impression d'une situation inachevée; elle se sent incomplète en tant que personne. Ce sentiment demeure et continue à jouer un rôle dans ses motivations, au-delà de la conscience. Elle "tombe amoureuse" d'un homme qui, indépendamment de ses qualités, ressemble fortement à l'un ou l'autre de ses parents. Il est peut-être froid, non émotif, incapable d'exprimer son amour. Tel un joueur qui, malgré ses pertes, retourne au jeu, elle se sent terriblement attirée par cet homme. *Cette fois, elle ne perdra pas.* Elle va l'attendre. Elle va réussir à susciter chez lui toutes les réponses qui lui ont été refusées dans son enfance. Elle pense qu'ainsi elle va racheter ces années, qu'elle va sortir vainqueur de son passé.

Elle ne réalise pas que l'homme lui est utile tant et aussi longtemps qu'il demeure froid, distant, insensible. Car si cet homme est chaleureux et amoureux d'elle, il ne correspond plus à l'image du Père ou de la Mère. Ainsi, on en arrive à une situation paradoxale: d'un côté cette femme appelle l'amour de toutes ses forces et de l'autre, elle garde toute la distance voulue pour maintenir la situation de non amour et de rejet. Si son partenaire parvient, malgré ces barrières, à se montrer aimant et tendre, la femme sera totalement désorientée et en général se séparera de lui; elle ne l'aimera plus: "Mais pourquoi dois-je toujours aimer des hommes qui ne savent pas comment m'aimer?" demandera-t-elle à son psychothérapeute...

Prenons un autre exemple. En regardant sa femme, le jeune marié se dit: "Maintenant, je suis marié; je suis adulte; j'ai des responsabilités — tout comme Papa. Je vais travailler dur. Je serai ton protecteur et je prendrai soin de toi — comme Papa l'a fait avec Maman. Il verra alors, et toi aussi, et tout le monde verra que je suis un bon petit garçon."

Ou encore: un homme dont la mère a quitté le foyer pour rejoindre son amant s'est senti trahi, enfant, et abandonné; c'est *lui* que sa mère a quitté, non son père. (C'est là que réside l'égocentrisme naturel à l'enfance.) Il se dit — en se basant sans doute sur ce que lui a dit son père — que les femmes sont comme cela, qu'on ne peut pas leur faire confiance. Il décide de ne plus jamais vivre cette souffrance. Aucune femme ne le fera souffrir comme sa mère. Il connaîtra, des années plus tard, deux types uniques de relations avec les femmes: celles où ce sera lui qui fera souffrir et qui trompera et celles où il choisira une femme qui le fera inévitablement souffrir. Tôt ou tard, il finira avec ce deuxième type de femme — pour "compléter" l'histoire de son enfance (ce qui bien sûr est un leurre, puisque *cette femme n'est pas sa mère*, mais son substitut symbolique). Abandonné, il se dit choqué et terrassé. Ses "histoires d'amour" intenses et passionnées se soldent par des abandons. Cet homme sera toute sa vie déconnecté de sa souffrance originelle, détaché de la source de ses problèmes et des sentiments qu'il a niés depuis longtemps. Il n'est pas en mesure de traiter ces problèmes efficacement, ni de les résoudre; il est prisonnier de sa fuite. Le drame continue à se jouer dans son psychisme. *La prochaine fois* sera la bonne. En attendant, il se "console" en faisant souffrir le plus de femmes possible. Et il demandera: "L'amour romantique est-il une illusion? Avec moi, ça ne marche jamais."

Au cours des sessions intensives sur *l'estime de soi et les relations romantiques*, j'ai élaboré l'exercice suivant. On donne au groupe des instructions: inscrire en haut d'une page blanche le mot *Maman*. Écrire six ou huit phrases ou mots qui la décrivent ou la caractérisent. Puis résumer en une phrase comment on perçoit sa capacité de donner et de recevoir de l'amour. Sur une autre page, on inscrit le mot *Papa*, et l'on procède comme précédemment. Sur une nouvelle page, on inscrit: "Une des façons dont mon père et ma mère m'ont frustré est..." et l'on complète la phrase par six ou sept lignes. Sur une nouvelle page, on écrit le nom de son conjoint ou celui d'une personne avec qui l'on a vécu la relation amoureuse la plus douloureuse. En dessous de ce nom, on refait une liste comme précédemment (caractéristiques et réactions face à l'amour). Sur une nouvelle page, on inscrit: "Une des façons dont X m'a frustré est..." et l'on termine la phrase par six ou huit exemples. Cet exercice suscite invariablement un grand remous dans la pièce: grognements, rires, jurons... "Mon Dieu, s'écrie quelqu'un, j'ai épousé ma mère!" "Et moi, mon père!" et il y a toujours une voix qui dit: "J'ai eu le bon sens de ne pas me marier!" Pour un très grand nombre, ces cinq pages ont des implications "choquantes". Voyons ce qu'il en est.

Il est vrai que l'amour immature se caractérise par une perception de l'autre où l'imaginaire et les projections l'emportent sur le réalisme. Cependant, à un niveau beaucoup plus profond, et rarement conscient, il existe une reconnaissance, une connaissance et une conscience de la personne choisie. Le choix n'est pas aveugle, mais le jeu qui se joue oblige d'une certaine façon les protagonistes à se renier eux-mêmes. Ceci leur permet tout l'éventail souffrance-choc-outrage-incompréhension au moment où leur partenaire se conduit précisément selon leur scénario de vie. La preuve en est que les personnes immatures trouvent toujours d'autres personnes immatures, dont les problèmes, le style de vie et le comportement général complètent les leurs.

Une femme qui ressent le besoin de souffrir et d'occuper toujours la deuxième place dans une relation, pour assurer à sa Mère qu'elle ne sera jamais en compétition avec elle, s'arrangera pour "tomber" avec la précision d'un missile téléguidé sur un homme marié qui, bien que follement amoureux d'elle, ne peut absolument pas quitter sa femme.

Un homme qui se persuade qu'il doit être fort, protecteur et responsable, en un mot, qu'il doit tout contrôler, trouvera une femme qui jouera toutes les cartes de la faiblesse, de la vulnérabilité, de la dépendance et de l'infantilisme. Et parfois, ces "différences complémentaires" donnent naissance à l'amour.

Certaines femmes se sentent à l'aise dans leur rôle de mère, mais pas dans celui de femme. Certains hommes se sentent à l'aise dans leur rôle de père, mais pas dans celui d'homme. Dans une pièce bondée au milieu d'une foule, ils parviennent à se rencontrer. Ils alternent les rôles, passant du protecteur au sans défense, se réajustant sans cesse, guidés par des signaux tacites où chacun "prévient" l'autre du changement de scène de leur immaturité.

On observe toujours le même processus de relais: l'affinité de base — l'insécurité, le rôle, une vision peu réaliste de la vie, et les différences complémentaires — masques, rôles, jeux, constituent le contexte qui leur permet de vivre la rencontre de l'âme soeur.

Encore une fois, même si ces relations semblent vouées à l'instabilité et à une fin précoce, il arrive qu'elles procurent à certains moments un sens profond de joie, de conscience et même une impression de magie.

Ces relations revêtent parfois toutes les caractéristiques de la toxicomanie. L'estime de soi des protagonistes est tellement liée au support et à la validation que peut donner l'autre, que la moindre séparation, la moindre absence peut déclencher un état de panique ou de désespoir. Même si la relation s'achève, celui qui est laissé peut ressentir tous les symptômes de retrait propres aux toxicomanes qui sont "en manque". (Voir à ce sujet le livre de Peele et Brodsky: *Love and Addiction*, 1975.)

Nous verrons au chapitre IV la différence qui existe entre l'amour romantique mature et un amour immature qui se dit "romantique". Nous parlerons alors du rôle approprié de l'estime de soi et de l'autonomie. Répétons ici que lorsqu'on aborde les sujets de "maturité" et d'"immaturité", il s'agit toujours de degrés. Il est plus facile de classer les individus comme étant "matures" ou "immatures" pour isoler un principe, mais ces concepts ne sont pas statiques; ils ne sont pas déterminés une fois pour toutes. Ils évoluent. Si je tiens à préciser, c'est pour rassurer le lecteur qui, après avoir parcouru la description que je donne de l'amour immature, ne sait plus comment "classer" sa relation qui n'est ni entièrement immature, ni entièrement mature. Il en va des relations comme des individus: on peut être très mature dans certaines situations et ne pas l'être dans d'autres.

De plus, on doit bien reconnaître qu'un être évolué, conscient et mature peut connaître des moments difficiles pendant lesquels il réagira peut-être de façon immature, mais il n'aura pas tendance à dramatiser ces situations. Il est faux de dire et de croire que la maturité exclut le désir d'être soigné, d'être irresponsable et d'être sans défense. Si les circonstances le permettent, la personne accepte ses sentiments, les assume et les dépasse, non parce qu'elle est forcée de le faire, mais parce qu'elle le choisit.

Ainsi, une personne mature accepte de tels sentiments, les considère comme normaux et parfois même comme agréables. Au contraire, une personne immature refuse ces sentiments et en devient prisonnière.*

Le rythme et l'énergie : deux variables importantes

Avant de clore notre discussion sur le processus de la sélection amoureuse, il faut mentionner un facteur important. Il s'agit d'une variable qui, bien que déterminante dans les rapports entre individus, est rarement comprise. Son impact sur toute relation, qu'elle soit positive ou négative, est considérable. C'est la différence qui existe entre le rythme biologique et le niveau énergétique naturel entre deux individus.

Les biologistes ont découvert que chaque personne possède son rythme biologique propre, déterminé génétiquement, et légèrement modifiable au cours des deux ou trois premières années de vie. Le rythme biologique est présent dans les structures du langage, les mouvements du corps, les réactions émotionelles, et il fait partie de ce que l'on appelle le "tempérament". À cela vient s'ajouter le fait que certaines personnes sont de nature plus énergique physiquement, émotivement et intellectuellement: elles bougent, ressentent, pensent

_____

* On trouvera une analyse du processus par lequel les sentiments et les émotions que nous renions nous emprisonnent, dans le livre: *The Disowned Self.*

et réagissent plus vite que d'autres et leur rapport au temps est différent.

Examinons tout d'abord l'impact négatif de ce phénomène. Il arrive que deux individus se sentent attirés l'un par l'autre tout en ressentant une friction continue difficilement explicable. Ils ne se sentent pas "sur la même longueur d'onde" et en sont souvent irrités, car ils ne comprennent pas ce qui se passe. Dans ces cas-là, il peut bien s'agir d'une incompatibilité au niveau de leur rythme biologique et de leur niveau énergétique naturel.

Celui ou celle qui est naturellement plus rapide développe alors une impatience chronique envers son partenaire plus lent. Ce dernier se sent de plus en plus "sous pression". Il est fréquent que chacun "en rajoute" pour forcer l'autre à se plier à son rythme, ignorant que ce changement est quasi impossible. Ne comprenant pas ce phénomène, ils tentent de trouver des justifications à leurs querelles en s'accusant mutuellement. Quand ils se sépareront, ils invoqueront ces "défauts" et les raisons profondes de leur mésentente resteront ignorées.

Ceci n'empêche pas de nombreux couples de se former, lorsque les aspects positifs de chacun et leur sagesse suppléent à leur manque de synchronisme. Mais le plus souvent, cela constitue une barrière infranchissable. Il est triste de voir que bien peu de gens en sont conscients.

Quant aux aspects positifs de ce phénomène, citons la sensation de se connaître, de s'accepter et d'en éprouver une joie immense. Les partenaires ont un sentiment d'harmonie et de justesse, à condition toutefois qu'ils aient d'autres affinités en commun. Il se dégage la sensation de "connaître" l'autre d'une façon très spécifique. Lorsque les conditions sont optimales, il existe une sorte de résonnance unique, une sorte de mouvement synchrone très harmonieux.

On est loin d'avoir exploré à fond le vaste domaine des différences intrinsèques. Il est donc difficile d'en dégager un principe fixant le seuil de tolérance. Tout ce que l'on peut dire actuellement se base sur le pragmatisme: observation et expérience directe. Disons que le fait d'être conscient et de considérer sa relation sous cet angle ne peut qu'apporter un éclairage très neuf et bénéfique à la relation. On comprend mieux alors son attachement ou son incapacité à vivre à deux. On comprend qu'il est possible de connaître une certaine harmonie malgré des heurts qui semblaient incompréhensibles.

L'amour, cet univers privé

En dehors des affinités et des différences qui génèrent l'amour romantique, le couple crée son propre univers, privé et intime. Deux êtres, deux personnalités, deux conceptions de la vie, deux îlots de conscience se trouvent, se "reconnaissent", se rencontrent et commencent à créer leur propre espace qu'ils habiteront tant que durera la relation. Cet univers neuf est une entité différente de celle que l'on crée individuellement: une relation est plus que la somme de deux individus; c'est le résultat d'une profonde interaction.

C'est l'univers que nous rejoignons le soir en rentrant à la maison, en retrouvant l'autre. C'est l'univers fait de compréhension tacite, de connivence, de regards échangés, de signaux que tout être ayant déjà aimé connaît intimement. Chaque relation comporte sa propre musique, une qualité émotionnelle, un style et une atmosphère uniques.

Qu'il s'agisse d'un univers reposant sur un partage de vues (l'amour romantique) ou sur une méconnaissance de soi elle aussi partagée (l'amour immature), que cet univers soit heureux ou qu'il ne soit qu'une forteresse érigée contre la souffrance, il est, de par la nature et l'essence même de l'amour, un système, un support émotionnel, un sanctuaire, une source d'énergie et de "nourriture" qui n'appartient pas au monde extérieur. On ressent parfois cet univers comme l'unique point de certitude, comme la seule chose réelle et solide au milieu du chaos et de l'ambiguïté. *Le besoin de soutien est en effet un des besoins que satisfait l'amour romantique par la création de cet univers privé*; c'est le "carburant" qui permet d'affronter les luttes avec le monde extérieur. S'il s'agit d'une relation réussie, l'univers ainsi créé constitue d'abord et avant tout un soutien; que la relation se maintienne ou non dans cet état dépend de l'homme et de la femme qui l'ont créée.

Lorsqu'un homme et une femme deviennent amoureux, c'est dès le premier instant qu'ils créent leur univers qui ne cessera d'évoluer à leur propre rythme.

Ayant fait le choix de leur amour, ayant décidé de joindre leurs forces, l'homme et la femme se retrouvent face à l'entreprise humaine la plus fantastique: *celle qui consiste à faire de leur relation une réussite.*

Après avoir examiné la nature de l'amour et les raisons de sa naissance, nous allons étudier les facteurs qui interviennent dans sa croissance ou dans son échec. Nous examinerons les défis que nous lance l'amour romantique.

Chapitre IV

Les défis de l'amour romantique

Prologue : les premiers défis

Tenter de définir les conditions dont dépend la réussite d'une relation peut sembler aussi ardu que de définir les conditions nécessaires et favorables à la création d'une symphonie. On peut toujours énoncer les nécessités évidentes, mais peut-on être certain qu'elles sont suffisantes? En effet, même ce qui semble nécessaire peut être détruit ou modifié. C'est donc là une tâche gigantesque, non parce qu'il s'agit d'un domaine mystique ou impénétrable, mais parce que la psychologie humaine est un domaine riche et fort complexe.

Il est courant d'entendre dire que l'amour est mystérieux par définition et qu'il n'a rien à voir avec la raison. On croit parfois que la compréhension tue l'amour, ce qui reviendrait à dire que la conscience tue...

C'est en fait tout le contraire. C'est l'inconscience qui tue, l'ignorance, l'aveuglement. Tant que nous n'essaierons pas d'identifier et de comprendre les "prérequis" essentiels au succès de l'amour romantique, nous nous exposerons à une douloureuse répétition du passé.

Pour ma part, je ne crois pas que la souffrance soit la condition *sine qua non* de la vie terrestre. Je ne crois pas que l'essence de la vie soit la misère. Je suis convaincu que c'est précisément ce type de croyance qui est la cause *majeure* de la souffrance humaine. Mis à part les messages religieux à cet égard, la résignation à la souffrance n'a rien de particulièrement vertueux. Bien au contraire. Nous nous trouvons en fait devant le problème suivant: les gens subissent trop volontiers la douleur; ils sont trop empressés à douter du bonheur.

La résignation est pure passivité et c'est sans doute le vice le plus grave que de faillir à ses responsabilités. J'ai eu maintes fois l'occasion dans ma pratique de psychothérapeute et au cours des sessions intensives déjà mentionnées de voir des gens qui se complaisent dans leurs lamentations, qui évitent coûte que coûte de prendre leurs responsabilités et qui ne cessent de pleurer sur leur sort. J'avoue avoir dû réprimer mes mouvements d'impatience devant ces gens qui en réalité s'attirent leur propre détresse. On a l'impression à les voir qu'ils attendent — démunis, frustrés, impuissants — que quelqu'un leur apporte le bonheur. C'est là bien sûr une impossibilité.

Être responsable de sa vie, c'est cesser de penser que la frustration et l'échec sont notre lot. Cette conviction qui revêt parfois des allures de sagesse est en fait une véritable insulte aux êtres conscients que nous sommes.

Il y a des raisons pour qu'un amour naisse et meure et bien qu'elle ne soit pas exhaustive, notre connaissance du problème est assez importante.

Voyons à présent les principaux défis à relever pour que l'amour soit positif. Nous traiterons dans un même temps naissance et fin de l'amour car il s'agit de questions indissociables dans leurs aspects positifs et négatifs.

L'estime de soi

Facteur essentiel, car la première histoire d'amour qu'il s'agit de mener à bien, c'est celle que nous vivons avec nous-même. Ce n'est qu'alors que l'on est prêt pour les relations amoureuses.

C'est presque un cliché que de dire que si on ne s'aime pas, on ne peut aimer les autres. C'est pourtant une vérité fondamentale, si on y ajoute un complément. Si nous ne nous aimons pas, il est quasi impossible de croire que nous *sommes aimés* par quelqu'un d'autre. Il devient impossible d'*accepter* l'amour et de le *recevoir*. Quel que soit l'amour qu'on nous porte, il reste irrecevable, puisque nous ne nous sentons pas dignes d'être aimés.

J'ai déjà écrit dans un livre le rôle prédominant que joue l'estime de soi dans l'expérience humaine (Branden 1969). Il est cependant nécessaire de faire ici un bref rappel de la relation entre l'estime de soi et la capacité de vivre harmonieusement l'amour.

Phénomène psychologique, l'estime de soi comporte deux aspects liés entre eux: le sens de son efficacité et celui de sa valeur personnelle. C'est la somme intégrée de la confiance en soi et du respect de soi. C'est la conviction — et *l'expérience vécue* — de sa compétence à vivre et de sa valeur intrinsèque. S'estimer, c'est ressentir profondément que l'on est apte à affronter la vie, ses obligations et ses défis.

L'individu qui se sent incapable d'affronter les défis de l'existence et qui manque de confiance en lui n'a aucune estime pour sa personne. *Compétence* et *valeur* sont donc indispensables.

Être compétent, c'est savoir juger, évaluer ses besoins et la réalité.

Reconnaître sa valeur, c'est affirmer son droit naturel à la vie et au bonheur.

L'estime de soi s'inscrit dans un continuum. Il ne s'agit donc pas d'en avoir puis d'en manquer suivant les cas. Bien sûr, il est difficile d'imaginer quelqu'un totalement *dénué* d'estime de soi, et tout aussi absurde d'imaginer q'une personne soit incapable de développer en elle ce sentiment.

Il ne s'agit pas ici d'énumérer tous les facteurs psychologiques qui contribuent au degré d'estime que l'on éprouve envers soi-même, mais bien de faire ressortir que c'est un facteur variable et qu'il influe considérablement sur notre vie.

Son impact se fait sentir dans tous les aspects de la vie. Il affecte nos choix amoureux et notre comportement dans une relation. Nous avons vu précédemment que des personnes ayant le même degré d'estime de soi se "recherchent". Il est évident que l'on se sent plus attiré, plus à l'aise, plus en "terrain connu" en compagnie de gens qui nous ressemblent.

Quel que soit le degré (élevé, moyen ou bas) de ce sentiment, le mot "attraction" désigne non pas une liaison sexuelle momentanée, mais ce qu'il convient d'appeler l'"amour".

Il est impossible de comprendre la tragédie de la plupart des relations si l'on ne comprend pas que la majorité écrasante des gens souffrent de manque d'estime de soi. La conviction qu'ils sont inférieurs est profondément ancrée dans leur psychisme: ils ne se sentent pas dignes d'être aimés; ils ne trouvent pas "normal" qu'on les aime. Ces sentiments sont rarement conscients et ces personnes se disent souvent qu'elles n'attendent qu'à être aimées et qu'elles le méritent, évidemment. Leurs sentiments négatifs sont là et minent leurs tentatives d'épanouissement.

On nous a appris en littérature que le personnage fait l'action. Je dirai que le concept de soi détermine notre destinée ou plus précisément, qu'il tend à la déterminer.

Si par exemple nous avons confiance en nous, si nous avons confiance dans nos capacités intellectuelles, nous nous ouvrons à l'expérience, nous sommes motivés à comprendre et motivés pour faire les efforts nécessaires. Nous ne connaissons pas les blocages du doute. Au contraire, plus nous sommes compétents, plus nous avons confiance en nous.

Par contre, si nous ne croyons pas en notre efficacité, nous appelons irrémédiablement les frustrations et l'échec. De tels comportements ont des résultats qui viennent renforcer et confirmer nos doutes initiaux.

Prenons un exemple. Je donnais une conférence dans un collège sur la psychologie de l'amour romantique et à la fin, les étudiants se pressèrent nombreux pour me poser des questions. Une jeune femme commença par me féliciter. Puis elle dit avec une certaine amertume, combien elle souhaitait que les hommes comprennent les principes dont j'avais parlé. Au fur et à mesure qu'elle s'exprimait, je ressentais une sorte d'impulsion à m'éloigner d'elle, ce qui me surprit car j'étais d'excellente humeur et prêt à communiquer avec le monde entier! Je l'interrompis en lui disant : "J'aimerais partager quelque chose avec vous. Je ressens une envie irrésistible de m'éloigner de vous. J'aimerais vous expliquer pourquoi. Lorsque vous avez commencé à me parler, j'ai reçu de vous trois messages: j'ai eu l'impression que vous m'aimiez bien et que vous désiriez que je vous réponde de manière positive, que vous aviez déjà la conviction que je ne pouvais pas vous aimer ou être intéressé par ce que vous aviez à dire et que vous étiez fâchée que je vous rejette. Tout cela, sans que j'aie prononcé une seule parole." La jeune femme resta songeuse et reconnut la justesse de ma description. J'ajoutai: "Vous avez en fait de la chance que je veuille m'expliquer. Si vous envoyiez ces mêmes messages à un jeune homme, il est très probable qu'il s'en irait. Le voyant disparaître, vous vous diriez que son attitude prouve bien que les hommes n'apprécient pas les femmes intelligentes. Ainsi, vous vous cachez votre propre rôle qui a en fait créé la situation dont vous souffrez."

Il est évident que le concept même du soi détermine la

destinée de l'amour romantique. Voyons à présent comment cela se produit de manière plus spécifique.

Être aimé répond à des besoins

Imaginons un individu qui sent, peut-être inconsciemment, son manque de valeur personnelle. Il ne se juge pas digne d'amour et ne croit pas que l'on puisse s'attacher longtemps à lui. En même temps, il désire l'amour, le poursuit comme un but, espère et rêve qu'il le trouvera un jour. Supposons qu'il s'agisse d'un homme. Il s'éprend d'une femme qui semble lui rendre son amour; ils sont heureux, enthousiastes et se sentent stimulés l'un par l'autre — le rêve semble être enfin atteint. Mais cet homme abrite au plus profond de son psychisme une bombe à retardement: c'est la conviction qu'en fait il ne peut pas être aimé.

Cette bombe le force à détruire sa relation et ce, de diverses manières. Il demande sans cesse à être rassuré. Il devient très possessif, jaloux. Il se comporte avec cruauté pour "tester" l'amour de sa compagne. Il se condamne à l'excès, attendant qu'elle le corrige. Il lui dit qu'il ne la mérite pas et cela devient son leitmotiv. Il déclare qu'on ne peut pas faire confiance aux femmes, qu'elles sont toutes légères et futiles. Il trouve des excuses sans fin pour critiquer sa partenaire, pour la rejeter avant qu'elle ne le fasse. Il essaie de la contrôler, de la manipuler de façon à la culpabiliser, espérant l'éloigner de lui. Il ne parle plus, devient fermé et taciturne; il érige des barrières qu'elle ne peut franchir.

Après un moment, la femme n'en peut plus. Elle est épuisée, "vidée", elle le quitte.

Il se sent déprimé, désespéré. C'est merveilleux! Il a la preuve qu'il avait raison. Le monde est bien tel qu'il l'avait toujours vu. "Ils écrivent des chansons d'amour, mais ça n'est pas pour moi." Comme il est bon de savoir que l'on comprend la réalité de ce monde!

Supposons que, malgré tout, la femme reste auprès de lui. Peut-être voit-elle le potentiel qui est en lui. Elle y croit. Elle est peut-être aussi de nature masochiste et s'arrange pour être toujours éprise de ce type d'hommes. Elle s'accroche à lui. Son attachement grandit de plus en plus. Elle ne comprend pas le monde comme lui. Elle ne comprend pas qu'il dise que personne ne peut l'aimer. En continuant à lui prodiguer son amour, elle le confronte à un problème: elle défait sa réalité à lui. Il doit bien trouver une solution, une échappatoire.

Il la trouve. Il décide qu'il n'est plus amoureux d'elle; il se dit qu'elle l'ennuie ou qu'il est amoureux de quelqu'un d'autre ou que l'amour ne l'intéresse plus. Le choix importe peu, car l'effet sera le même: à la fin, il se retrouvera à nouveau seul, comme il se "doit".

Une fois de plus, il peut recommencer à rêver. Il peut chercher une autre femme et rejouer la comédie depuis le début.

C'est là un cas limite, car il arrive souvent qu'une séparation de fait soit superflue: cet homme peut très bien s'arranger pour que la relation continue, à condition que lui et sa partenaire soient malheureux. C'est le genre de compromis qui ne lui fait pas peur. Et c'est aussi bien que d'être seul et abandonné.

Prenons un autre exemple. Une femme décide qu'un homme ne peut en aucun cas la préférer à d'autres femmes. Étant un être humain, elle aspire à l'amour. Voyons sa réaction — typique — une fois qu'elle l'aura trouvé.

Elle ne cesse de se déprécier par rapport aux autres. Tout en prétendant leur être supérieure, elle nie ses sentiments d'insécurité. Elle montre à son partenaire des femmes séduisantes pour voir ses réactions. Elle le tourmente avec ses doutes et ses soupçons. Elle l'encourage à avoir des liaisons, en lui disant que cela lui serait sûrement très bénéfique et qu'elle n'y verrait aucun inconvénient. D'une façon ou d'une autre, elle s'arrange pour que son compagnon la trompe.

Elle souffre terriblement. Elle est au désespoir. Mais elle se sent gratifiée de façon incomparable. Elle a créé de toutes pièces une situation qu'elle savait inévitable.

Il faut dire ici que le désir d'exercer un contrôle sur notre vie est tout à fait légitime et n'a rien à voir avec un manque de rationalité. Cependant, cela conduit dans certains cas à des comportements irrationels, lorsque nous nous trouvons manipulés par nos convictions destructrices et nos impulsions de sabotage. "Contrôler" signifie comprendre la réalité afin de prédire correctement les conséquences de nos actes. Lorsqu'on veut à tout prix faire coïncider la réalité à nos croyances plutôt que le contraire, on exerce un contrôle dévié et catastrophique. On peut parler de tragédie lorsque nos idées nous aveuglent et nous empêchent de voir qu'il existe des alternatives. On peut parler de drame lorsqu'on préfère "avoir raison" plutôt qu'être heureux, lorsqu'on préfère exercer un pseudo contrôle plutôt que de renoncer à nos a priori.

On risque alors de devenir prisonnier de cet esprit de sabotage. Ce n'est qu'en prenant conscience de nos craintes que nous pouvons commencer à transformer notre comportement. Nos actes ressemblent à la perception que nous avons de nous-même. Nos actes produisent des résultats qui supportent continuellement notre concept du soi.

Si l'on est *positif*, ce mécanisme peut jouer en notre faveur. Si l'on est *négatif*, c'est la catastrophe.

Quand on se sent rejeté, quand on repense à d'anciennes relations, il est souvent très utile de se demander: "Est-ce que je pense qu'il est naturel, normal qu'on m'aime? Est-ce plutôt un miracle qui ne peut arriver, qui ne pourrait durer?"

La première condition pour être heureux en amour est d'avoir la conviction qu'il est *juste*, naturel et normal d'être aimé. Ceux qui savent se rendre heureux en amour sont ouverts à l'amour. Pour accepter l'amour, on doit s'aimer soi-même. Ainsi, le fait d'être aimé ne semble pas incompréhensible. Ils laissent les autres les aimer et leur amour est harmonieux.

L'amour romantique peut grandir chez ceux qui s'apprécient, qui sont profondément heureux d'être eux-mêmes et qui se sentent dignes d'amour et dignes de l'appréciation d'autrui.

Dire oui au bonheur

Dans l'expérience de l'estime de soi, on retrouve comme nous l'avons mentionné précédemment le sens du droit légitime d'affirmer ses intérêts, ses besoins, ses désirs et le sentiment d'être digne du bonheur.

Au cours de ma carrière qui m'a fait rencontrer des milliers de personnes d'origines les plus diverses, j'ai toujours été frappé de voir combien les gens doutaient, combien ils avaient peur de ne pas mériter d'être heureux, de s'épanouir. J'ai pu remarquer fréquemment leur conviction que leur bonheur sera toujours détruit par une catastrophe, qui est en fait leur angoisse d'une sorte de punition imminente. Cela revient à dire que pour eux, être heureux signifie être en danger. D'une part, ils appellent le bonheur, ils en rêvent et d'autre part ils le redoutent.

Quelqu'un peut répéter qu'il a droit au bonheur et qu'il a réellement le désir d'être heureux en amour. Cependant, dès que le bonheur est là, la personne se sent anxieuse, déroutée. On dirait qu'il existe en toile de fond la conviction qu'une vie heureuse n'est pas le genre de vie qu'il faut.

L'éducation en général et l'éducation religieuse tout particulièrement jouent un rôle considérable dans ce domaine: on enseigne que la souffrance est le passeport pour le salut et que la joie et le plaisir sont un "péché" qui écarte du droit chemin. Des patients que je suivais en psychothérapie m'ont relaté que dans leur enfance, lorsqu'ils étaient malades, leurs parents

131

les consolaient en disant: "Ne regrette pas de souffrir, car chaque jour de peine t'ouvre les portes du paradis." Et où donc nous mènent les jours de bonheur?

Autre attitude fréquente: on dit à l'enfant: "Ne te réjouis pas si vite. Le bonheur ne dure pas. Quand tu seras grand, tu verras combien la vie est difficile."

Cette éducation forme des adultes qui considèrent le fait d'être heureux comme un manque de réalisme et partant, comme un danger, comme une épée de Damoclès.

Considérons le cas d'un homme et d'une femme qui partagent ce raisonnement. Ils se rencontrent et deviennent amoureux. Au début, ils ne pensent à rien d'autre qu'à la joie d'être ensemble; ils sont heureux, tout simplement. Mais la bombe à retardement amorcée dès leur rencontre commence à faire son oeuvre.

Dîner en tête à tête, se sentir joyeux et satisfait devient vite trop pesant. La dispute commence, pour rien ou bien une dépression inexplicable surgit chez un des partenaires.

Ni l'un ni l'autre ne laissent le champ libre au bonheur; ils sont incapables d'apprécier le simple fait de s'être rencontrés. Ce qu'ils pensent de leur vie, de leur destinée, est incompatible avec le fait d'être heureux. Ils n'échappent pas à leur "programmation" psychique et commencent à se disputer "sans raison".

Leur perception d'eux-mêmes et du monde leur permet de *se battre pour le bonheur — de l'appeler et de le désirer — mais toujours pour plus tard, l'année prochaine peut-être et jamais dans le présent, tout de suite et ici même. L'échéance trop proche est angoissante, voire terrifiante.*

Le fait d'avoir au début de leur relation ressenti de la joie, du bonheur "au présent", donc de le vivre concrètement et non plus comme un rêve, est tout bonnement insoutenable. Premièrement, ils ne le méritent pas et deuxièmement, cela ne pourra jamais durer; enfin, si d'aventure leur bonheur se maintenait, une catastrophe viendrait tout détruire. Tel est le comportement typique des gens qui n'ont pas confiance en eux et qui estiment qu'ils n'ont pas le droit d'être heureux.

J'ai constaté avec stupeur que chaque fois que ce problème est soulevé au cours des sessions intensives, la majorité des gens comprennent immédiatement. Les explications que je donne sont toujours sommaires car c'est un phénomène qui leur est très familier. Certains sont sur la défensive, d'autres luttent pour éviter de se retrouver au pied du mur, mais ce ne sont que des exceptions. Il est d'ailleurs assez intéressant de voir que l'immense majorité des gens réagit très honnêtement et disons-le, avec une certaine tristesse. Dès que l'on aborde le sujet, les gens reconnaissent qu'ils interrompent leur bonheur, qu'ils le sabotent, qu'ils s'acharnent à se créer des ennuis, qu'ils font tout pour échapper au bonheur *présent* au lieu d'en jouir, de s'imprégner de leur joie et de vivre leur amour sans y résister. Ils préfèrent assister à des ateliers, consulter des conseillers conjugaux, entreprendre une psychothérapie en vue de *préparer* leur bonheur pour une date imprécise qui se dérobe comme l'horizon devant le marcheur.

Il m'arrive de poser les questions suivantes aux membres du groupe: "Avez-vous déjà ressenti au réveil une sorte de joie indicible, vitale, un bien-être résistant aux soucis et aux difficultés? Vous êtes-vous dit, au moment où vous vous sentiez si bien, que cela était intolérable et qu'il fallait faire quelque chose? Vous êtes-vous arrangés pour vous replonger dans un état de détresse? Ou peut-être êtes-vous avec quelqu'un que vous aimez. Vous vous sentez bien et tout à coup vous êtes envahi par une angoisse terrible; vous vous sentez perdu et vous êtes presque forcé de provoquer une dispute. Ne faut-il pas mettre un grain de "tragédie" dans la vie?" Je dois dire que la moitié de la salle acquiesce...

Une chose est évidente: pour un grand nombre d'individus, *l'angoisse d'être heureux* est un véritable problème qui constitue une barrière pour l'amour romantique.

Ce trouble a souvent pour origine une mauvaise individuation et une incapacité à vivre correctement le phénomène de l'isolement. Cela va de pair avec le manque d'estime de soi. Il devient alors impossible de découvrir ses ressources individuelles, sa propre force, son indépendance face aux autres et particulièrement face aux parents à qui l'on sacrifiera son propre bonheur et tout l'avenir de ses relations. Voyons à présent quelles sont les conséquences d'un tel processus.

Prenons le cas d'une femme qui a été témoin dans son jeune âge de la mésentente de ses parents. Il est assez fréquent que les enfants intériorisent un message subtil de leurs parents, à savoir: "Tu ne seras pas plus heureux (se) que moi dans ton mariage." Une femme qui manque de confiance en elle, qui veut être "une bonne petite fille" et qui doit conserver à tout prix l'amour de ses parents se montrera très obéissante, en choisissant un mari avec qui le bonheur est impossible ou en sabotant une union potentiellement heureuse. Bien des femmes m'ont déclaré: "Je ne pouvais pas supporter que ma mère me voie heureuse en amour, car elle se serait sentie trahie, humiliée. Je ne pouvais pas lui imposer une prise de conscience de ses propres échecs. Je ne pouvais pas lui faire ça." Il faut lire entre les lignes et l'on peut conclure: "Maman pourrait être en colère contre moi. Elle pourrait me rejeter; je pourrais perdre son amour." (Friday, 1977).

Ainsi, être malheureux comme papa ou maman, c'est d'une certaine façon avoir une appartenance. Être heureux, c'est être seul; c'est devoir faire face à ses parents, à toute la famille et cela apparaît souvent comme un tâche insurmontable et terrifiante.

Ce problème existe entre une femme et sa mère ou entre une femme et son père. Les hommes reçoivent eux aussi des messages de leurs parents, les dissuadant d'être heureux.

Pour de nombreuses personnes, être heureux signifie souvent ne plus être un bon petit garçon ou une bonne petite fille et se séparer de la famille. Pour résister à ce chantage, il faut une bonne dose d'indépendance et ce n'est pas souvent le cas. Nous voyons donc bien comment les notions d'isolement et d'individuation sont étroitement liées à celles du manque d'estime de soi et au tandem "bonheur-angoisse".

Lorsqu'on vit des relations qui semblent toujours malheureuses ou frustrantes, on doit se poser certaines questions: "Ai-je le droit d'être heureux? L'image que j'ai de moi-même le permet-elle? L'idée que je me fais du monde qui m'entoure le permet-elle? Est-ce que la "programmation" reçue dans mon enfance n'est pas néfaste pour mon bonheur? Mon scénario de vie est-il compatible avec des amours heureuses?"

Si l'on répond par la négative à toutes ces questions, il est inutile de recourir à des "trucs" permettant une meilleure communication, une meilleure entente sexuelle ou une amélioration de sa combativité. Certains conseillers conjugaux commettent dans ce domaine des erreurs. Car on ne peut faire tous ces apprentissages de "mieux être" qu'à partir du moment où l'on a la *volonté*, le *désir* et la *conviction* que l'on est en droit d'être heureux. Que se passe-t-il dans le cas contraire?

La croissance d'une relation amoureuse repose sur l'intime conviction que le bonheur est légitime, que c'est un droit de naissance.

Si je ressens le bonheur comme normal et naturel, je suis ouvert et je ne ressens pas le besoin de me saboter ni de m'autodétruire.

Accepter le bonheur permet à l'amour de se développer. Le craindre peut tuer l'amour.

Pour certains, le simple fait de se permettre d'être heureux et d'accepter l'indépendance et les responsabilités que cela entraîne constitue l'acte le plus héroïque de leur vie.

Comment réagir si le bonheur déclenche l'angoisse? Tout être anxieux a un désir normal de réduire son malaise. Si le bonheur est le fauteur de trouble, il est très compréhensible que la personne ressente l'impulsion de réduire ou de saboter ce qu'elle considère être la cause de son angoisse. C'est là une réaction très humaine.

Il existe bien sûr une solution meilleure qu'il s'agit de découvrir, d'apprendre et de mettre en pratique.

Lorsque nous nous sentons heureux et que ce sentiment déclenche en nous angoisse et malaise, nous devons apprendre à *ne rien faire*, c'est-à-dire vivre simplement nos sentiments, les laisser surgir et observer le processus; pénétrer les profondeurs de notre sentiment tout en étant le témoin conscient de la situation, *sans entrer dans le jeu de l'autodestruction*. Avec le temps, on parvient à développer une certaine tolérance face au bonheur et l'on peut maîtriser la joie sans paniquer.

Lentement, on découvre ainsi qu'il existe une alternative. Être heureux est beaucoup moins compliqué qu'on ne le pensait. On réalise que la joie est notre état naturel d'être humain.

Alors, alors seulement, l'amour romantique peut grandir.

L'autonomie

L'amour romantique est pour les adultes; il n'est pas pour les enfants, au sens littéral et psychologique du terme. L'amour romantique n'est pas destiné à ceux qui, indépendamment de leur âge, se vivent comme des enfants.

Revoyons ici la définition de l'autonomie. C'est la capacité de décider de son orientation, de s'auto-gérer. On ne peut dissocier la notion d'autonomie de celle d'estime de soi: toutes deux présupposent que le processus d'isolement et d'individuation s'est effectué correctement.

Les gens autonomes comprennent que les autres n'existent pas uniquement pour satisfaire leurs propres besoins. Ils acceptent qu'indépendamment de l'amour et de l'attention qui se manifestent entre individus, chacun de nous a la pleine responsabilité de sa vie.

Ils ont dépassé le besoin de prouver qu'ils sont de bons petits garçons, de bonnes petites filles, tout comme ils ont dépassé celui d'avoir une épouse-mère ou un mari-père. Cependant, il peut leur arriver parfois de demander à leur conjoint une compréhension toute "parentale", ce qui n'est que normal.

Ces personnes sont prêtes à vivre l'amour romantique car ce sont des adultes qui n'attendent pas d'être sauvés ou rescapés par autrui. Ils se passent de la permission des autres pour être ce qu'ils sont et leur ego n'est pas continuellement sur la brèche.

Ceci est important. Un individu autonome ne remet pas sans cesse en cause l'estime qu'il a de lui-même. Sa valeur n'est pas un sujet constant de doute. La source d'approbation réside en lui-même. Il n'est pas dépendant de telle ou telle rencontre.

Il existe dans les meilleures relations des tensions, des heurts quasi inévitables, des moments où l'on comprend mal l'autre. Ceux qui manquent de maturité ont tendance à prendre ces incidents comme des preuves de rejet ou de manque d'amour. Le moindre conflit prend alors des proportions démesurées.

L'individu autonome ne réagit pas ainsi. Les inévitables frictions sont prises pour ce qu'elles sont. Même s'il en souffre, il n'en fait pas un drame.

De plus, les gens autonomes respectent chez les autres leur besoin de suivre leur propre destinée, de demeurer seuls, d'avoir leurs préoccupations propres, de se concentrer et de réfléchir sur des questions existentielles où leur partenaire n'est pas directement impliqué. Ils comprennent que leur partenaire ait des préoccupations comme le travail, la croissance personnelle, les besoins intimes. Être autonome, c'est ne pas avoir toujours besoin d'être "le centre d'attraction"; c'est garder son calme lorsque l'autre semble préoccupé ou absent. Être autonome, c'est donner aux autres la même liberté que l'on se donne à soi-même.

C'est la raison pour laquelle l'amour peut croître entre deux personnes autonomes et celle pour laquelle l'amour meurt si souvent chez les couples manquant d'autonomie: la panique étouffe l'amour.

Quel que soit le degré d'amour et d'attachement qui existe entre deux individus autonomes, il y a toujours la reconnaissance du fait que l'espace, la liberté, parfois la solitude sont légitimes. Le couple autonome n'est pas uniquement une entité amoureuse.

Les gens autonomes ont assimilé et intégré le fait ultime de la solitude humaine. Ils ne résistent pas, ils ne nient pas, ils ne dramatisent pas. Ils ne perdent pas d'énergie à essayer de s'illusionner, au moyen de leur relation, sur le fait que la solitude n'existe pas. Ils comprennent que cette solitude donne à l'amour son intensité unique. Le rapport harmonieux qu'ils entretiennent face à leur solitude les rend aptes à vivre l'amour romantique.

Lorsque deux êtres responsables se rencontrent et deviennent amoureux, ils peuvent s'apprécier, s'aimer, se voir pour ce qu'ils sont, précisément parce que chacun s'assume et ne vit pas par procuration.

Ils s'aiment; ils jouent parfois à l'enfant, au parent; chacun connaît la vérité ultime et n'en est pas effrayé. Ils sont en paix et ont compris ce qu'était l'essence de l'humanité.

Le manque de maturité dans ce domaine entraîne une dépendance malsaine et pesante. Serrer quelqu'un contre soi, ce n'est pas l'étouffer. Sans air, sans espace, l'amour se meurt.

Aussi paradoxal que cela puisse paraître, *ce n'est que lorsqu'on cesse de lutter contre l'isolement que l'on est prêt pour l'amour.*

Le romantisme réaliste

L'une des conditions essentielles à la réussite d'une relation amoureuse est le réalisme. Être réaliste, c'est pouvoir et vouloir considérer son partenaire tel qu'il est, avec ses défauts et ses qualités, sans "l'inventer".

Prenons un exemple négatif: ne voyant et n'aimant pas mon conjoint comme une personne réelle évoluant dans un monde réel, je construis un scénario imaginaire en lui faisant jouer un rôle que je détermine. Si mon partenaire n'est pas un bon acteur, il est inévitable que je lui en voudrai. Si je prétends qu'il n'a pas de défauts, je n'échapperai ni à la souffrance ni à la trahison et j'aurai de plus l'impression d'être une victime. "Mais comment peux-tu me faire ça à moi?"

Il est très vrai qu'au plus profond de nous, comme nous l'avons déjà observé, *nous savons qui nous choisissons*, mais il nous est parfois commode de le nier. Si notre scénario de vie nous dicte un rôle de victime, nous ne pourrons que nous réjouir d'une telle déception.

Si tant de gens deviennent amoureux d'une image plutôt que d'un être en chair et en os, c'est qu'ils ont d'innombrables besoins, aspirations, désirs et blessures dont ils ne sont pas conscients, mais dont ils recherchent inconsciemment la satisfaction ou la guérison. Quelqu'un qui reste étranger à ses besoins les plus profonds réagira en s'attardant sur des traits superficiels s'ils semblent assouvir ses besoins. Prenons l'exemple d'un jeune homme sensible et intelligent qui, adolescent, n'a pas eu de succès auprès des filles — étant trop timide ou trop sérieux. À l'âge de 20 ans, il rencontre une jeune femme très belle, le type même de celles auxquelles il rêvait de plaire des années plus tôt. Il est fasciné et enchanté, subconsciemment. Il caresse l'espoir qu'avec elle, la partie est enfin "gagnée": les souffrances passées, sa solitude d'adolescent, tout cela sera effacé. Cette rencontre chassera toutes les humiliations, tous les rejets et son amour assouvira les rêves non réalisés de ces longues années solitaires. Ceci n'est à aucun moment verbalisé. Il négligera sans doute le fait que la jeune femme et lui n'ont pas grand chose en commun, qu'ils ne partagent ni intérêt, ni philosophie, ni point de vue. Il ne veut pas considérer que même s'il gagne son amour, elle ne tardera pas à l'ennuyer mortellement. Si elle réagit face à lui, si la relation se crée, elle aura sans doute une grande intensité au début. Mais il ne fait aucun doute que cet amour est voué à l'échec.

D'un autre côté, lorsque nous choisissons de poser un regard objectif sur l'autre, l'amour s'il est authentique, a les meilleures chances de croître. Nous savons qui nous choisissons, c'est pourquoi nous ne sommes pas décontenancés par des accès d'humeur. Une femme très heureuse dans son mariage me confiait un jour: "Une heure après avoir rencontré X, je pouvais déjà faire une conférence sur les difficultés que j'aurais à vivre avec lui. Je crois que c'est l'homme le plus merveilleux que je connaisse, mais je ne me suis jamais caché qu'il est aussi très distant. Il me fait penser à un professeur distrait. Il peut passer un temps considérable dans son univers à lui. J'ai dû l'admettre dès le début, sans quoi j'aurais été très contrariée plus tard. Il n'a jamais prétendu être quelqu'un d'autre que lui-même. Je n'arrive pas à comprendre ceux qui se disent blessés ou choqués par l'évolution de leur conjoint. Il suffit d'être un tant soit peu observateur pour voir la personnalité de tout un chacun. Je n'ai jamais été aussi heureuse de ma vie. Et ce n'est pas parce que je me dis que mon mari est parfait. Mais voyant ses défauts, j'apprécie d'autant mieux ses qualités."

On peut être amoureux tout en gardant les pieds sur terre.

La fusion de la passion et du réalisme permettent à l'amour de fleurir.

Ouverture mutuelle:
le sens de la vie à deux

Une des caractéristiques d'un amour épanoui est le désir de laisser l'autre partager notre monde intérieur et d'éprouver le même désir de découvrir celui de l'autre; c'est la volonté de s'ouvrir l'un à l'autre. Les couples amoureux ont tendance à se découvrir, à se dévoiler ainsi plus qu'à n'importe qui d'autre. Ils ont créé une atmosphère de confiance, d'acceptation. Par-dessus tout, chacun a le désir de se connaître lui-même. Sans connaissance profonde de soi, il n'y a pas de réel désir de connaître l'autre.

Nous en venons ici à ce qui constitue l'obstacle majeur à une relation durable; il s'agit du problème très répandu de l'aliénation de soi, qui rend pratiquement impossible l'ouverture aux autres.

Ce problème n'est pas nouveau. Disons que, de nos jours, on a plus qu'autrefois le sentiment de ne pas exister vraiment, de perdre le contact avec soi-même, de ne pas savoir très bien ce que l'on ressent, de se sentir endormi et de réagir parfois sans raison véritable. Il est à peine nécessaire d'ajouter que de tels comportements sont désastreux pour ce qui est de l'amour romantique.

La cause de cette auto-aliénation, de cette *inconscience*, est multiple. Prenons l'exemple le plus simple et le plus évident: bien des parents *enseignent* à leurs enfants à réprimer leurs sentiments. Ils leur font prendre l'*inconscience* pour une valeur positive. Ils la présentent comme le prix à payer si l'on veut être aimé, accepté et considéré comme un "grand". Un petit garçon tombe, se blesse et pleure. Son père lui dit sévèrement que les hommes ne pleurent pas. Une petite fille est en colère contre son frère ou un adulte. Sa mère lui dit qu'il est terrible de réagir de la sorte et qu'elle ne pense certainement pas ce qu'elle dit. Un enfant rentre fou de joie dans la pièce: ses parents irrités lui demandent ce qui ne va pas et pourquoi il fait un tel vacarme.

Les enfants apprennent aussi à réprimer leurs sentiments par "mimétisme". Des parents inhibés auront des enfants inhibés, coupés de leurs émotions. Cet apprentissage se fait non seulement par le biais de ce que les parents disent à l'enfant, mais aussi à travers leur comportement qui est proposé en exemple à l'enfant et par lequel les parents lui transmettent ce qu'ils considèrent être "juste", "approprié" ou "socialement acceptable".

Les parents qui acceptent certains enseignements religieux ont la fâcheuse tendance d'intoxiquer leurs enfants avec la notion — désastreuse — des pensées "mauvaises" et des émotions "coupables". L'enfant est envahi par une véritable terreur morale.

On peut par de tels procédés amener l'enfant à penser que ses sentiments représentent un danger potentiel, qu'il est donc préférable de les nier et de les "contrôler" en toute occasion. Ce "contrôle" signifie la *perte* des sentiments; l'enfant ne sent plus. Inutile de dire que ceci n'est ni conscient ni calculé. Le processus d'auto-aliénation est purement subconscient. En niant ses sentiments, en rendant nuls ses jugements et ses appréciations, en se coupant de son expérience, l'enfant apprend à se défaire des composantes du moi, autrement dit de sa personnalité.

Au départ, l'enfant fonctionne naturellement; il est en contact direct avec son organisme. Un conflit survient: on lui apprend que certaines émotions sont inacceptables. Mais l'enfant les ressent. Sa seule échappatoire devient celle de l'*inconscience*.

L'enfant utilise cette tactique chaque fois qu'il désire se défendre de sentiments qu'il ressent comme menaçants ou envahissants: douleur, peur, colère, etc. Les sentiments "positifs" tels la joie, l'excitation, le désir sexuel sont également réprimés chaque fois qu'ils menacent l'équilibre, la sécurité et l'estime de soi.

Le problème né dans l'enfance est bien ancré à l'âge adulte; il fait partie de la personnalité, de la façon d'être et de vivre, de sorte qu'avec les années l'auto-aliénation semble "normale".

Mais ce qui a été réprimé ou désavoué continue d'exister et d'opérer à un niveau différent, à un niveau non intégré. Ainsi, dans la mesure où nous souffrons de cet état de chose, nous vivons un état chronique de discordance intérieure.

Dans l'amour romantique, c'est précisément le soi que nous désirons rendre visible et partager avec l'autre.

Au cours des sessions que j'ai données sur *l'estime de soi et l'art d'être*, une des tâches principales est de redécouvrir et de réclamer les diverses parties du soi de façon à ce que l'estime de soi puisse s'étendre et de façon à ce que la capacité d'aimer puisse se développer et s'épanouir. Parfois — et même assez souvent — lorsque plusieurs parties désavouées du soi commencent à émerger au niveau conscient, il y a un véritable combat, une lutte, une angoisse. La personne se sent désorientée. Elle est anxieuse: "Comment réagiront les autres? Est-ce qu'ils m'aimeront encore s'ils savent que je suis coléreux? Est-ce qu'ils feront encore attention à moi s'ils apprennent que je ne suis pas si désorienté? Va-t-on m'abandonner, me laisser tout seul si je n'ai pas peur de montrer mon intelligence? Est-ce que je pourrai encore supporter mon travail — mon mariage — si je reprends possession de ce que je suis réellement, de mes sensations, de mes capacités?"

Il ne s'agit pas d'exprimer tout ce que nous ressentons ni de faire tout ce dont nous avons envie, même dans nos relations les plus intimes. Il est évident qu'en ce qui a trait au comportement, il ne faut jamais se départir de son jugement ni de son esprit critique. Parfois, il est important de communiquer ses sentiments, parfois de les taire, tout comme il est plus ou moins nécessaire de partager ses pensées, ses perceptions. Nous reviendrons plus tard sur le processus de la communication. Ce qu'il faut bien identifier ici, c'est que *le problème fondamental ne se pose pas entre nous et les autres, mais entre nous et... nous.*

Si nous avons la liberté et l'honnêteté de bien connaître nos sentiments et d'en être conscients (plus que verbalement), nous sommes alors en mesure de décider du partenaire avec qui nous partagerons notre vie intérieure, ainsi que du contexte dans lequel la communication s'effectuera. Par contre, si nous ignorons — par interdiction ou par crainte — ce que nous sommes et si nous sommes auto-aliénés, nous sommes en fait handicapés et dans l'incapacité de vivre notre intimité de façon authentique, ce qui signifie que l'amour romantique nous est inaccessible.

La joie amoureuse — et tout ce qui la nourrit — va de pair avec une personnalité transparente et prête au partage. L'ouverture de soi rehausse l'expérience de la visibilité, rend possibles le soutien et la validation et stimule la croissance. Quand deux personnes sont capables de cette ouverture mutuelle, elles se retrouvent en présence de nombreuses valeurs recherchées dans l'amour romantique.

Il est impossible de demander à la personne que l'on aime de s'enthousiasmer pour chacun de nos sentiments, de nos fantasmes ou de nos désirs. Il s'agit de pouvoir s'exprimer sans crainte des jugements moraux, sans crainte d'une condamnation. Nous sommes tous tenus de créer cette atmosphère de confiance. Il est cependant très difficile de donner à l'autre ce que l'on n'a pas encore appris à se donner soi-même. Si nous avons l'habitude de nous sermonner et de nous faire des reproches, nous adopterons ce comportement pour les autres aussi, qu'il s'agisse de notre partenaire ou de nos enfants. Nous encouragerons la personne aimée à pratiquer les mêmes idées. C'est là une des façons de tuer l'amour, de tuer la passion.

Nous devons nous poser les questions suivantes: "Suis-je en train de créer un contexte dans lequel mon partenaire se sent libre de partager ses sentiments, ses émotions, ses pensées, ses fantasmes, sans crainte d'être condamné, attaqué ou critiqué, et sans devoir se retirer? Est-ce que mon partenaire crée un contexte qui m'est favorable?"

Si nous répondons par la négative, il n'est pas étonnant que notre relation soit vouée à l'échec. Par contre, si la réponse est oui, nous comprenons son succès. Un homme et une femme libres de partager leurs idées, d'exprimer leurs désirs, de reconnaître leurs sentiments, de communiquer leurs opinions et qui savent qu'ils peuvent avoir confiance l'un dans l'autre détiennent une des clés d'un amour épanoui.

Communiquer ses émotions

Les relations romantiques se font ou se défont à cause de la réussite ou de l'échec de la communication. Aucun élément n'est plus important dans ce domaine que les sentiments et les émotions.

La souffrance

Il nous arrive d'avoir mal, de souffrir. Nous ressentons alors le désir d'exprimer cet état à l'être aimé. Nous avons besoin d'en parler, de dire ce qui se passe en nous.

Nous attendons alors de l'autre qu'il manifeste l'intérêt, le désir et la volonté de nous écouter. Nous voulons qu'il prenne nos émotions au sérieux et qu'il les respecte pour ce qu'elles sont. Nous n'avons pas envie d'entendre: "C'est tout à fait idiot de sentir tout ça!" Nous n'avons pas envie qu'on nous fasse la leçon. Très souvent, le simple fait de dire que l'on souffre suffit à résoudre le problème. Rien de plus. Nous voulons que l'autre le comprenne et ce besoin est réciproque. Cette écoute mutuelle donne une grande force à l'amour. Il est parfois impossible à une personne de donner à son conjoint ce qu'il aimerait, pour la bonne raison qu'elle n'accepte pas sa propre souffrance. Comment peut-on donner à quelqu'un ce que l'on ne s'accorde pas à soi-même?

En fait, quand on aborde le sujet de la souffrance, quand on cherche à l'exprimer, on peut réactiver chez l'autre une souffrance niée ou désavouée, ce qui a généralement pour effet de provoquer de l'anxiété. Pour y échapper, la personne coupe la parole à l'autre; sans avoir l'intention d'être cruelle, elle ne comprend pas vraiment ce qui se joue. La communication a échoué et l'autre peut se sentir abandonné.

Le plus grand cadeau que l'on puisse faire à la personne qu'on aime, c'est souvent le simple fait de l'écouter, d'être présent et disponible sans se sentir obligé d'être brillant, de trouver "la" solution ou de "remonter" celui qui parle. Or, être capable de cette disponibilité implique qu'on se la donne aussi à soi-même. Si nous avons envers nous-même une attitude moralisante, si nous ne cessons de nous juger, nous traiterons notre partenaire de la même manière. Il n'est pas d'acceptation des autres sans acceptation de soi. Accepter nos propres sentiments nous permet d'accepter ceux des autres.

C'est un art qui peut s'apprendre et se pratiquer; il suffit d'en prendre la décision en s'appuyant sur les principes discutés.

Que faire si je suis la cause du chagrin de mon partenaire? Le principe reste le même. Il faut écouter, montrer que nous sommes impliqués, reconnaître nos torts le cas échéant et agir en conséquence. Écouter, accepter, sans nécessairement être d'accord, mais en accueillant les sentiments de l'autre pour ce qu'ils sont et ne jamais réagir comme un parent qui punit.

La peur

Être capable d'exprimer sa peur, pouvoir en parler ne peut qu'aider et soulager, mais cela est très difficile à faire. La plupart d'entre nous avons appris dès notre jeune âge que la peur est un sentiment honteux, humiliant qui doit être dissimulé. En dévoilant nos peurs, nous pensons "perdre la face". Nous associons le concept de *force* à celui de *mensonge* en prétendant ne pas ressentir ce qu'en réalité nous ressentons.

Si nous sommes capables d'exprimer dignement et honnêtement nos craintes, si nous pouvons écouter l'autre en respectant et en acceptant ses émotions, il peut se produire quelque chose de merveilleux. Deux personnes peuvent se rapprocher considérablement. La peur en soi peut disparaître si elle est acceptée, exprimée et libérée. Ou bien, nous pouvons au moins rassembler le courage de faire face à la peur — par exemple en acceptant une intervention chirurgicale nécessaire, en entreprenant une tâche difficile dans votre carrière ou simplement en affrontant avec honnêteté une vérité difficile.

Là encore, il s'agit du problème de l'acceptation de soi: car comment répondre mieux à la peur de l'autre qu'à la sienne propre? Peut-on donner à son partenaire la permission de sentir ce que nous censurons en nous-même? La gentillesse commence toujours par soi-même.

Si nous voulons que la communication se fasse bien, que l'amour réussisse, que la relation soit épanouie et enrichissante, nous devons abandonner une fois pour toutes l'absurde notion selon laquelle mentir est un acte de force et d'héroïsme. Faire semblant, trahir, masquer, mentir par omission, changer la réalité de notre expérience ou cacher la vérité de notre être n'a rien de valeureux. Il nous faut apprendre que si l'héroïsme et la force ont un sens, c'est bien celui de voir la réalité, la vérité, les faits et *la vie* en face.*

---

* Dans mon livre: *The Disowned Self*, j'ai abordé ce sujet. Lorsque

La colère

La colère est un sentiment normal qui fait partie de la vie. Le fait d'éprouver ce sentiment ne signifie pas qu'il n'y a plus d'amour.

Exprimer honnêtement notre colère, décrire ce que nous voyons, ce que nous observons ou ce que nous considérons être la réalité et ce que cela provoque en nous joue un rôle purificateur et ouvre la porte à une communication positive.

Il ne s'agit nullement de s'en prendre au caractère de l'autre ou de "psychanaliser" ses motifs: "Tu es toujours irresponsable!" "Ton seul but est de me faire du mal!" "Tu me rappelles mon ex-mari (femme) !" Dans ces cas-là, on réussit à blesser l'autre et à provoquer une contre-attaque, mais *on ne réussit pas* à communiquer positivement ni à résoudre le conflit présent. C'est ce qui se passe généralement.

Savoir exprimer sa colère est un art que les amants devraient tous maîtriser... Il ne s'agit pas de nier ou de réfuter sa colère ni de sourire lorsqu'on fulmine intérieurement. L'art consiste à *être honnête par rapport à ses propres sentiments* (Ginott, 1972).

Une relation amoureuse implique la capacité de laisser son partenaire libre d'exprimer sa colère. Savoir l'écouter sans l'interrompre, sans l'attaquer. Une fois la colère passée, une fois l'autre soulagé d'avoir dit ce qu'il avait sur le coeur, il faut alors répondre. Si nous estimons qu'il a mal interprété les faits, nous devons le lui faire remarquer. Si nous avons tort, mieux vaut le reconnaître.

L'expression honnête de la colère ne détruit pas une relation. C'est la colère contenue qui fait chaque jour mourir une

---

nous nions ou réprimons des sentiments non désirés, nous en devenons les prisonniers; par contre, si nous nous permettons de les vivre pleinement, nous nous en libérons et commençons à les dépasser. Le changement et la croissance sont alors possibles.

*relation. La répression des sentiments tue l'amour, tue la
sexualité, tue la passion.*

En réprimant la colère, on se "coupe" de la personne qui
est en cause. On "résoud" le problème par une sorte d'engourdissement. De telles solutions n'en sont évidemment pas.

Il est de notre propre intérêt de savoir que si notre partenaire est en colère contre nous, il doit nous l'exprimer. Il est
contre notre intérêt de vivre auprès de quelqu'un qui ne se
plaint jamais des souffrances dont nous pouvons être la cause.

Vouloir faire partager nos souffrances, nos craintes et nos
colères aide l'amour romantique à se développer.

Ainsi, nous devons nous poser cette question: "Est-ce que
je crée un contexte qui permet à mon partenaire de partager
avec moi de tels sentiments? Et dans quelle mesure crée-t-il un
contexte favorable à l'expression de mes propres sentiments?"

Amour, joie et plaisir

La communication est la sève de toute relation. Ceci
inclut non seulement le partage des sentiments malheureux
mais aussi celui de sentiments comme l'amour, la joie et le
plaisir, et la communication d'émotions, de perceptions, de
pensées et de fantasmes — en d'autres termes, toute la gamme
de notre monde psychique et émotif.

"Partager sa vie" avec quelqu'un, c'est beaucoup plus que
vivre simplement dans la même maison et "se tenir compagnie". Cela signifie partager avec l'autre son expérience intérieure, son processus vital, en somme tout ce qui relève du
soi.

C'est l'évidence même. Et pourtant, en travaillant avec
les gens, il est impossible d'échapper à la conclusion suivante:
ce partage est une des choses les moins comprises de notre vie.

Il est vital d'exprimer des sentiments d'amour, d'appréciation et de désir pour soutenir une relation passionnée. Très

souvent, on observe que les gens ont peur de le faire, peur de verbaliser ce qu'ils ressentent, de montrer la profondeur de leur attachement. Ils inventent des raisons absurdes pour pallier à l'absence de communication: "Je t'ai épousé(e), que veux-tu de plus? Est-ce que ce n'est pas la preuve que je t'aime?"

Fait encore plus étonnant, les gens redoutent souvent de *recevoir* l'expression de ces sentiments. Ils se sentent mal à l'aise. Ils ont l'impression de "ne pas être à la hauteur". Ils se sentent obligés de parler alors que seules leur attention et leur présence sont requises à ce moment-là.

Que faire si l'on redoute cette intimité? La solution est d'accepter ses sentiments, d'assumer sa peur, de la reconnaître honnêtement et de l'exprimer pour la dépasser.

Il faut alors se poser les questions suivantes: "Suis-je capable d'accepter que mon partenaire exprime son amour, sa joie, son enthousiasme? Puis-je lui permettre de ressentir, de vivre et de communiquer ces états, même si je ne suis pas capable de les vivre moi-même? Ou bien est-ce que je stoppe mon partenaire comme d'autres m'ont déjà arrêté, comme j'ai peut-être appris à le faire pour moi-même?"

Il n'est pas étonnant que ceux qui sont incapables d'accepter les émotions — heureuses ou malheureuses — se plaignent de voir "mourir la passion". Le miracle n'est peut-être pas que la passion meure, mais qu'elle ait existé, ne fut-ce qu'un moment. La réalité passionnelle contribue à notre force vitale qui en brisant les barrières de l'auto-aliénation même brièvement, nous démontre que l'extase est possible. Nous devons apprendre à ne pas trahir cette possibilité.

Je reviendrai à la fin de ce chapitre sur la peur que peut provoquer le bonheur, tant le nôtre que celui des autres. Voyons à présent comment communiquer ses désirs.

150

Les désirs

Si j'ai peur de connaître mes désirs et de les exprimer sans ambiguïté, il arrive souvent qu'au lieu de faire face à cette crainte, je blâme mon partenaire. Je me sens blessé et plein de ressentiment à son égard; l'autre n'a pas su me donner ce que je n'ai même pas admis être mon désir et ce que je n'ai pas assumé.

On a souvent très peur de savoir ce que l'on veut et encore plus de le dire. On a peur que l'autre ne réponde pas ou s'en moque. On craint de donner à l'autre trop de "pouvoir" en lui dévoilant nos sentiments et nos désirs. Il y a là la peur de s'affirmer et la crainte de donner trop de poids à l'amour. Il y a la peur de s'exprimer.

Le silence, le malaise, le ressentiment et la solitude viennent remplacer la communication.

On comprend facilement comment on en arrive à une telle situation et pourquoi cela est si fréquent lorsqu'on constate à quel point les adultes ne prennent pas leurs enfants *au sérieux*, à quel point ils oublient que ce sont des êtres humains à part entière dont les besoins et les sentiments sont très importants.

Si nous voulons bien comprendre l'amour romantique, nous devons nous pencher sur les questions suivantes: "Est-ce que je connais mes besoins? Suis-je prêt (e) à les exprimer? Suis-je capable d'accepter le fait qu'une autre personne ne pourra pas toujours me satisfaire ou ne voudra pas me donner ce que je veux? Suis-je prêt(e) à affronter cette réalité?"

Parfois, on justifie l'absence de communication en disant: "Et si rien n'arrive? Si ma demande ne provoque aucune réaction?" Alors, il faut continuer à demander. "Et si rien ne se passe?" Persévérez. "Que faire si mon partenaire reste indifférent?" Communiquez ce que son silence provoque en vous. Invitez-le à partager ses propres sentiments, ses propres réactions. S'il refuse, s'il ne fait aucun effort pour vous comprendre, il faut regarder la situation en face. L'autre ne semble pas intéressé par vos désirs; il estime superflu d'en discuter. Si tel est vraiment le cas, il faut trouver une autre solution, se demander en tous cas si l'on est prêt à vivre avec ce problème. En dernière analyse, il est toujours très nuisible de se cacher la vérité.

La manipulation

Souvent, lorsqu'on ne se sent pas libre d'exprimer directement ses besoins, on essaie d'obtenir ce que l'on veut de manière détournée. On manipule l'autre. Cette tactique d'approche peut réussir à court terme, mais elle est très aliénante et au lieu de créer un rapprochement, une intimité plus grande, elle éloigne les partenaires.

C'est là une des barrières essentielles à la communication.

Si notre insécurité face à nos désirs est telle qu'elle nous fait redouter la franchise et l'honnêteté, si nous pensons que la manipulation est le seul moyen efficace d'obtenir ce que nous voulons, nous sabotons inévitablement non seulement notre relation amoureuse, mais *toute* relation importante.

Il faut savoir que personne ne peut nous satisfaire tout le temps, au moment qui nous convient et comme nous le voulons exactement. Si nous cherchons à manipuler notre partenaire, soit en faisant semblant d'être compréhensif, soit en feignant la sympathie ou la culpabilité, tout ce que nous obtiendrons à la fin sera du ressentiment, que nous ayons ou non obtenu ce que nous désirions.

Une communication honnête est intimement liée à notre volonté et à notre courage d'être ce que nous sommes, de le montrer et d'être en pleine possession de nos sentiments, de nos pensées et de nos désirs. Nous renonçons à la dissimulation; nous n'en faisons pas notre tactique de survie. Pour cela, il faut être capable de reconnaître nos erreurs. Il faut faire un pas en avant. L'amour romantique, nous l'avons dit, n'est pas pour les enfants. Il n'est pas non plus destiné aux menteurs et aux lâches.

L'honnêteté et le courage participent activement à la croissance de l'amour, tandis que la malhonnêteté et la lâcheté le détruisent.

On ne doit pas en conclure qu'il faut dévoiler le moindre sentiment, la moindre pensée, la moindre impulsion. Cela n'est ni possible ni souhaitable. Disons que, d'une façon très générale, je veux faire ressortir ici les comportements propres à la communication et qui sont positifs ou négatifs dans le domaine de l'amour. Dans la pratique, il faut de la sensibilité, de l'intelligence et de l'esprit d'observation, car il ne s'agit pas de lois immuables qu'on doit suivre à la lettre.

Si par exemple nous sentons que notre partenaire se débat avec un problème douloureux, nous attendrons pour lui faire part de nos préoccupations personnelles. Peut-être attendrons-nous un moment plus propice, peut-être déciderons-nous de régler seul nos problèmes. La communication est rarement efficace si elle ne s'accompagne pas de respect et de bienveillance. Il existe une différence entre l'expression simple, directe et amoureuse de ses désirs et l'expression pleine d'hostilité et de ressentiment.

Il y a des moments où l'on voit clairement que l'autre n'est pas apte à nous satisfaire et que ni le reproche ni la culpabilisation ne sont des solutions.

La communication reste un facteur vital et déterminant dans une relation amoureuse. Il suffit d'observer la façon dont deux personnes se parlent et vivent leur union pour comprendre pourquoi, le cas échéant, il s'agit d'un couple épanoui ou non.

Projection de la visibilité

Il est clair que l'amour romantique génère le désir de

voir et d'être vu, d'apprécier et d'être apprécié, de connaître et d'être connu, d'analyser et d'être analysé, de susciter la visibilité et de la recevoir. Comme nous l'avons vu au Chapitre II, c'est là l'essence même de l'amour romantique.

En parlant avec des personnes qui ont connu l'amour, on entend souvent des phrases comme: "Il (elle) me donne le sentiment d'être apprécié. Je me sens mieux compris; je me sens moi-même; j'ai l'impression d'être visible grâce à elle (lui)."

Quand on regarde deux amoureux, quand on observe la façon qu'ils ont de se regarder, on se rend compte à quel point le "regard" porté sur l'autre est important. Être capable de voir et de communiquer ce que l'on voit — autrement dit savoir rendre l'autre visible, est un facteur essentiel à la durée d'une relation.

Dans un couple fatigué, usé, on est frappé par l'absence de regards. On dirait que les partenaires sont ternes, vides, éteints de l'intérieur.

Ceux et celles qui n'ont pas peur de l'amour, qui ne craignent pas d'être rejetés, éprouvent un plaisir immense à rendre l'autre toujours plus visible, toujours plus conscient de lui-même. C'est aussi une grande joie que d'amener l'autre à une découverte plus profonde de son être.

Cela est dû à une véritable *fascination*, à l'envie de le voir et de le comprendre, à la certitude que c'est là une évolution sans fin. Contrairement au dicton qui dit que "l'amour est aveugle", l'amour est bien cette force de voir avec la plus grande clarté et la plus grande intensité, force générée par l'inspiration et la motivation. On ne regarde longuement et profondément que ceux qu'on aime.

J'ai parfois entendu dire: "Mais je comprends très bien mon mari (ma femme), je vis avec lui (elle) depuis 10 ans!" Cette réaction est révélatrice quant à la personnalité de celui qui parle: c'est une preuve de passivité mentale qui s'étend manifestement à d'autres aspects de la vie. Car il y a toujours plus à comprendre, ne serait-ce que parce qu'une personne ne cesse d'évoluer avec le temps.

Qui plus est, le désir de voir l'autre et la capacité de se renouveler soi-même *encouragent* le processus de croissance et d'évolution de notre partenaire.

Je connais des couples qui sont parvenus à maintenir leur amour au cours des années. Ils n'ont cessé de s'intéresser l'un à l'autre. Ils continuent à s'interroger mutuellement sur leurs sentiments, leurs façons de voir et de vivre. Leur intérêt est dans l'éclat de leurs regards. On sent qu'ils aiment communiquer.

La joie de leur relation reflète une joie intérieure. Cet enthousiasme mérite quelques observations, car il permet le maintien de la visibilité en particulier et de l'amour romantique en général.

Visibilité et enthousiasme

La plupart des gens vivent comme des automates. La vie pour eux perd très vite sa fraîcheur, car ils vivent de pensées et de perceptions qui appartiennent au passé. Leur joie de vivre et d'aimer s'est éteinte. La passion meurt rapidement chez les gens qui sont devenus une sorte de machine. D'un ton docte, ils affirment que la passion est éphémère, tout comme l'amour, tout comme la joie. Ils croient parler de la réalité; en fait, ils ne parlent que d'eux-mêmes.

On observe souvent chez les personnes créatives une fraîcheur, une spontanéité de perception et de réaction presque enfantines. L'essence même de la créativité est d'avoir su *conserver* la fraîcheur de son regard qui fait que chaque jour est nouveau, qui permet de percevoir l'inattendu et d'être ouvert à la nouveauté.

C'est précisément cette qualité qui permet de sauvegarder la passion — en communiquant toujours la visibilité à l'être aimé.

155

Chez la plupart des gens, on assiste non seulement à la mort de l'amour romantique très tôt, mais aussi à la disparition quasi totale de tout enthousiasme et de toute passion. Pourquoi l'amour romantique ferait-il exception? Ces gens n'ont pas gardé en eux de passions vives. Ils sont complètement éteints.

La question n'est donc pas de savoir si l'amour romantique doit mourir, mais si tout enthousiasme, tout sentiment de joie doit s'éteindre.

Quelle que soit la réponse, elle sera subjective. Ceux qui sont "robotisés" répondront que c'est le lot de l'humanité. Ceux qui au contraire sont réellement vivants, ceux qui perçoivent chaque jour comme une nouvelle aventure prennent plaisir à être conscients et ont peine à croire au fatalisme des premiers.

Il s'agit là d'une minorité, mais elle existe. Ces gens ouverts donnent la preuve que l'amour existe, qu'il est viable et normal.

Il n'est pas question ici de nier que l'amour connaît divers stades et de prétendre qu'un couple qui en est à sa dixième année de vie commune ressent l'amour exactement de la même façon que le premier jour. Je ne peux m'empêcher de relater ici une entrevue avec un couple qui assistait à une session de thérapie conjugale. Durant tout l'entretien et même lorsque surgissaient des conflits, les partenaires se tenaient par la main, restaient en contact. La femme était âgée de 62 ans et l'homme de 65.

L'enthousiasme est cette énergie intérieure que l'on sent toujours prête à surgir. L'ennemi de cette force, c'est la répression des émotions, l'auto-aliénation, la dépossession de soi. Les gens apprennent à se détourner de leur centre vital afin d'éviter des souffrances ou pour obtenir des appréciations ou un statut. Ils se plaignent du vide, de la futilité et de l'absence de passion dans leur vie.

On entend parfois dire que l'amour romantique est "égoïste", que la passion et la joie ne jouent aucun rôle "social". Certains essaient de découvrir une nouvelle source de vitalité en appartenant à une grande cause, à une doctrine, une idéologie, en faisant partie d'un mouvement, en recherchant quelque chose qui les "dépasse et qui leur offre un substitut à leur identité, à leur être". Incapables d'aimer une personne, ils aiment "l'humanité" (Hoffer, 1951).

On conserve sa vie psychologique en restant en contact avec ses sentiments, ses émotions, ses pensées, ses aspirations, ses rêves et ses jugements, en somme avec tout ce qui appartient au monde intérieur, à l'expérience intime. On garde sa relation vivante en *l'exposant*, en *l'exprimant*, en l'intégrant à la réalité de son *vécu*. Cela signifie essentiellement avoir la possibilité de rester sensible à ce que nous voyons chez l'autre, à ce qu'il provoque en nous, aux pensées et aux sentiments qu'il nous inspire, à tout ce que renferme sa visibilité psychologique.

Des relations peuvent mourir à coups de silence ou par l'absence de visibilité, de flux énergétique vital entre deux individus. C'est pourquoi il est si important d'exprimer sa colère ou sa souffrance. Dans le cas contraire, on enterre plus que la colère et la souffrance : c'est l'amour et la compassion qui sont ainsi ensevelis. Chacun se retranche dans son mutisme, s'isole, se retire. En supprimant les sentiments négatifs, on se dépossède aussi de ceux qui sont positifs et l'on en arrive à ériger un mur d'indifférence pour se protéger de l'extérieur. On ressent son partenaire non plus comme une source de plaisir, mais comme une source de souffrances de laquelle on se détache en devenant insensible, en s'anesthésiant. On "coupe le courant"; on refuse à l'autre le plaisir de se sentir visible, apprécié. La relation est un véritable cul-de-sac.

Nous savons tous que rien ne nous donne davantage le sentiment d'être aimé que le fait de sentir qu'on est une source de joie pour l'autre. Une analyse froide de nos "vertus" ou l'expression mathématique de nos qualités ne nous "nourrit" pas. Par contre, voir un sourire de plaisir sur le visage de notre partenaire lorsque nous entrons dans la pièce, capter un regard d'admiration lorsque nous avons réalisé quelque chose, sentir son désir sexuel, voir l'intérêt qu'il porte à ce qui nous préoccupe même si nous gardons le silence, ressentir la joie d'être regardé, d'être en contact avec l'autre sont autant de moments et de situations que génèrent la visibilité et l'amour partagé. C'est grâce à cela que nous rendons ces expériences possibles pour notre partenaire.

La crainte d'être heureux

Qu'y a-t-il de plus stimulant que de permettre à l'autre de voir l'enthousiasme qu'il provoque en nous? Il faut bien dire que dans la grande majorité des cas, on nous a appris à cacher la joie, à la dissimuler, à l'enfouir et à l'éteindre sous prétexte que cela ne fait pas "adulte". Bien des gens ont peur de montrer leurs sentiments, leur amour ou le plaisir que l'autre suscite en eux.

Peut-être *voulons-nous* exprimer nos sentiments, peut-être voulons-nous les communiquer, mais alors c'est l'autre qui se retire, qui nous refroidit, qui laisse entendre qu'il ne faut pas transmettre de tels messages, parce que la joie est source d'angoisse pour lui, même lorsqu'il la provoque. Cette peur de la joie tue l'amour.

Je fais souvent faire un exercice aux gens qui participent à mes sessions intensives. Je leur demande de fermer les yeux et de se revoir enfants, en train de jouer seuls, heureux, joyeux, pleins d'énergie. Puis je leur demande d'imaginer que leurs parents arrivent et ce que cela provoque en eux au niveau physique, émotif, psychologique. La majorité des participants expriment une tension, un arrêt, une sorte de recul. Les parents sont perçus comme les ennemis de leur plaisir. Ils prennent alors conscience du fait qu'ils ont appris à réprimer ou à supprimer leur joie, à la considérer comme un secret honteux qui ne peut ni ne doit être montré ou partagé.

Je dis souvent aux étudiants: "N'épousez jamais quelqu'un qui n'est pas l'ami de vos plaisirs." En effet, si le partenaire se sent mal à l'aise face à la joie, il sera inévitablement mal à l'aise face à l'amour, même si ce sentiment lui est consacré. Si nous sentons cette angoisse dès le début d'une relation, il nous sera impossible d'être visibles; nous ne nous sentirons jamais totalement acceptés — pas plus que ne le sera l'amour que nous portons à l'autre.

Comme je l'ai souligné à maintes reprises, la façon dont notre partenaire nous traite n'est que le reflet de la façon dont lui se traite, et notre comportement est tout aussi révélateur de ce que nous pensons de nous-même. S'il nous est impossible d'accepter la joie en nous, si nous ne nous sentons pas libres de l'exprimer, comment pouvons-nous espérer faire mieux face à la joie d'autrui?

Un de mes souvenirs les plus heureux est celui du visage de Patrecia lorsqu'elle venait m'attendre à l'aéroport — un mélange de sérieux, d'attente et de délice, comme si quelque chose de merveilleux était sur le point de se produire. C'était un visage très spécial, plus éloquent que mille mots. En la voyant, il était impossible de ne pas se sentir visible, impossible de ne pas se sentir aimé. Elle n'avait pas peur de vivre sa joie ni de la montrer. C'était là son plus beau cadeau. Et cette énergie m'accompagne tout au long de ce livre.

Intermède: une expérience d'intimité

Nous avons examiné le sujet de l'ouverture de soi et de l'art de la communication qui sont des facteurs essentiels à la création d'une *intimité* amoureuse. L'intimité appartient au partage du soi au niveau le plus fondamental, le plus privé, le plus personnel — "un échange de vulnérabilité" pour reprendre les termes de Masters et Johnson (1970). J'aimerais faire ici une brève halte pour vous relater ce que j'appelle "une expérience d'intimité", que je soumets parfois aux couples qui viennent me consulter.

Lorsque je travaille avec des individus qui sont devenus des étrangers l'un pour l'autre, ou dont la relation a perdu toute vie, je leur propose un "travail" qui consiste à passer une journée ensemble. Livres, télévision, coups de téléphone sont strictement interdits. S'ils ont des enfants, ils doivent les faire garder. Aucune distraction n'est admise. Leur "devoir" consiste à rester ensemble douze heures dans la même pièce. Il est convenu que quoi qu'ils se disent, aucun ne quittera la pièce ou refusera de parler. Bien entendu, toute violence physique est exclue. Ils peuvent rester assis sans parler s'ils le désirent, à condition de rester ensemble.

Voici les réactions typiques: pendant les deux premières heures, chacun est assez rigide et conscient de lui-même. Presque toujours, une discussion s'amorce. Un des partenaires prend la parole et dit ce qui l'a mis en colère, ce qui lui a déplu. Une dispute peut survenir. Au bout d'une heure ou deux cependant, il y a renversement de la situation. Le couple se rapproche, une nouvelle intimité s'installe. Très souvent, ils font l'amour. Ensuite, chacun se sent généralement en forme, de bonne humeur et bien qu'il ne soit alors que trois heures de l'après-midi, l'un des deux, nerveux, déclare que l'expérience "a marché" et qu'ils pourraient sortir, aller au cinéma, aller rendre visite à des amis ou *faire quelque chose*. S'ils respectent le mot d'ordre, ils atteignent un niveau de contact et d'intimité beaucoup plus profond que le précédent. Ils commencent à communiquer sur un plan beaucoup plus vaste. Ils partagent alors souvent des sentiments dont ils n'ont jamais discuté entre eux — ils parlent de leurs rêves, de leurs aspirations; ils découvrent des aspects d'eux-mêmes et de leur conjoint qu'ils ne soupçonnaient pas. Pendant cette session de douze heures, ils peuvent parler de tout *à condition que ce soit personnel*: pas de discours sur le travail, sur les problèmes des enfants, de l'école ou de la maison. Ils doivent parler d'eux-mêmes, de l'autre ou de leur relation. Étant dans une situation où toute source de stimulation extérieure est absente, ils sont face à eux-mêmes et découvrent alors le sens de l'intimité. Il y a presque toujours un sentiment progressif d'approfondissement, une implication émotionelle grandissante et une expérience élargie de vitalité.

La journée se termine très souvent bien. Parfois, au contraire, chacun réalise que la relation n'apporte plus rien et qu'elle doit prendre fin. L'expérience n'est pas pour autant un échec, mais une réussite, car il est tragique de perdre sa vie dans un mariage vide et dénué de sens.

Quand je suggère cette expérience aux couples, je reçois en général deux types de réactions: l'enthousiasme ou l'angoisse. Ceci est significatif. Si la seule idée de passer douze heures en tête à tête avec sa femme ou son mari provoque un sentiment d'appréhension, c'est un facteur intéressant en soi.

Je me suis aperçu que des gens qui s'aiment mais qui ne parviennent pas à communiquer de façon satisfaisante peuvent changer radicalement grâce à cet exercice qui peut être repris une fois par mois. L'un des changements est la découverte inattendue d'aptitudes à la communication que le couple ne pensait pas posséder.

Lorsque quelqu'un court sans cesse ou est toujours en train de "faire quelque chose", il a peu de chances d'apprendre à se connaître, à vivre face à face avec lui-même. L'introspection requiert le calme. C'est à cette seule condition que nous pouvons aller à notre découverte et nous revitaliser. Ce même principe s'applique à une relation. Il faut y consacrer du temps; il faut être *disponible*.

Un homme et une femme peuvent courir du court de tennis à la table de bridge, faire une halte au bal du samedi soir et avoir la conviction de partager vraiment leur vie sans voir qu'ils ne consacrent pas une seule minute à leur *rencontre* mutuelle. Ils sont ensemble, mais ne se rencontrent pas.

On reconnaît volontiers que la créativité requiert du temps, du calme. Le temps est nécessaire à l'esprit et à l'imagination. Ils peuvent flotter, errer, se fixer. La personne peut descendre au plus profond de son psychisme, guettant les moindres signes. Il peut se passer un laps de temps important avant que quelque chose ne se produise. Mais on sait que cet espace est vital pour l'esprit, car il lui permet ainsi de se défaire de ses habitudes, de sa mécanique, du connu, du familier, du "standard" et de se régénérer.

C'est d'un processus analogue qu'il s'agit dans le cas d'un couple qui crée un espace, un temps pour chacun, en supprimant toutes les activités de routine. Les partenaires s'asseoient. Ils peuvent garder le silence, penser à haute voix, suivre le fil de leurs idées, de leur imagination, rentrer au plus profond d'eux-mêmes, s'explorer mutuellement. Cette situation peut faire naître l'ennui. Il est possible que rien ne se passe au cours de cette journée. Peut-être chacun restera-t-il assis, attendant que le temps passe. C'est un risque, mais il est nécessaire. C'est le même risque que court tout créateur. Celui ou celle qui planifie chaque minute de peur de s'ennuyer est condamné à vivre superficiellement, mécaniquement, redoutant tout ce qui est neuf, car la nouveauté réside au fond de soi et non dans une programmation.

À cela s'ajoute un autre risque: celui de découvrir des choses sur soi et sur son partenaire, de connaître des sentiments que l'on redoute. Certaines relations parviennent à se maintenir grâce à des "omissions" (il est des sujets que l'on n'aborde jamais); pour ces couples, l'intimité, le face à face sont une véritable menace. Dans toute relation malheureuse, il y a un accord tacite sur les sujets tabous — la sexualité, ce que fait le conjoint quand l'autre part en voyage, ce que l'on pense de ses habitudes, etc. Dans ces couples, il existe une sorte de mort des émotions caractéristique. Lorsqu'un couple "éteint" accepte de participer à une session de douze heures, il y a l'angoisse que quelque chose va exploser, car ni l'un ni l'autre ne pourra plus éluder les discussions. Après douze heures, ils commenceront à aborder les zones interdites et obtiendront des résultats souvent frappants. Il arrive que, contrairement à leurs craintes, leur relation soit revitalisée et entraîne un changement dans leur comportement respectif.

Lorsque des couples qui, pour une raison ou une autre, ne vivent jamais leur intimité, parlent de l'intimité des autres, ils ont souvent la réaction suivante: "Il leur est facile de vivre intimement, parce qu'ils se trouvent intéressants." Mais ce raisonnement est absurde, car si des partenaires éprouvent un intérêt mutuel, c'est bien parce qu'ils consacrent du temps à se connaître et à se découvrir: *la méthode inhérente à ces sessions interdit au couple de vivre mécaniquement.**

D'après mon expérience dans ce domaine, les résultats acquis ainsi sont souvent beaucoup plus probants que ceux obtenus par le biais d'un conseiller conjugal.

Il est évident que la durée d'une session est variable. Elle peut être de plus ou moins douze heures. Voyons ici le type d'exemple *inadéquat*: un homme rentre de son bureau, s'asseoit en face de sa femme, jette un coup d'oeil à sa montre et dit: "Nous avons une demi-heure devant nous avant d'aller au club, parlons intimement. Qu'as-tu à me dire?"

Il n'existe pas d'aphrodisiaque plus puissant et plus fiable que la communication authentique, celle qui vient du coeur. Incidemment, rappelons que c'est ce qui rend l'acte sexuel exceptionnellement enrichissant et excitant après une violente

---

* Je recommande généralement aux couples ayant des difficultés sur le plan de leur relation de s'entendre sur quatre ou six sessions de douze heures à raison d'une par mois.

querelle. Chacun a en quelque sorte rompu avec son schéma mécanique de relation. Il existe bien d'autres formes d'intimité que les scènes de ménage. Elles ont leur utilité, mais à petite dose seulement. Nous ne devrions pas recourir à la force ou à la colère pour abattre nos barrières. Nous devrions maîtriser l'art de les briser soi-même.

Au cours d'une conférence où je discutais de ce thème, un couple vint me trouver, très enthousiaste, et commença à me dire combien chacun était amoureux de l'autre, ce qui à les regarder semblait évident. Le mari me dit alors: "Il y a quelque chose qui me préoccupe: *comment trouvez-vous le temps nécessaire à cette intimité?*" Je lui demandai quelle était sa profession et il me dit qu'il était avocat. Je lui dis: "Quelque chose m'ennuie. *Étant donné l'amour que vous portez à votre femme, comment trouvez-vous le temps d'exercer votre profession?*" Il me regarda, visiblement troublé et dérouté par ma question. J'ajoutai: "Votre métier est important, vous *devez* être présent, n'est-ce pas?" Le visage de mon interlocuteur commençait à s'illuminer. "Eh bien", poursuivis-je, "à partir du moment où vous décidez que l'amour est vraiment important, que cela compte autant que votre travail et que le succès de votre relation est aussi impératif que celui de votre carrière, vous ne vous demandez plus où ni comment trouver le temps nécessaire; vous savez comment faire."

J'aimerais pouvoir dire que c'est là un principe que j'ai toujours compris et mis en pratique. Malheureusement, quand on est jeune, on néglige souvent la vie et l'amour. On pense que l'on est éternel, comme ceux que l'on aime. S'il nous arrive de négliger l'amour, si nous consacrons le plus clair de notre temps au travail ou à diverses activités, nous remettons toujours cela au lendemain et nous nous disons que ça n'est pas grave. Patrecia et moi avons certainement passé plus de temps ensemble que d'autres couples. Et pourtant... je repense aux moments où nous aurions pu être ensemble si j'avais été plus disponible et j'essaie de me souvenir de ce qui me tenait éloigné et me semblait si important alors. Cela n'est pas un de mes meilleurs souvenirs.

J'ai pu me rendre compte que la plus grande menace ne vient pas de notre travail mais de ce qu'on appelle notre "sociabilité", nos obligations sociales. C'est souvent contre elles que l'on doit protéger l'amour. On peut éprouver du plaisir en compagnie d'amis, de collègues, mais ce n'est pas un substitut à l'intimité d'un couple. Rien ne l'est. Les soirées passées avec des gens qui nous sont totalement indifférents ou qui ne nous intéressent guère sont à tout jamais "perdues". Ce temps ne revient plus.

J'ai parfois envie de crier aux gens qui s'aiment sans parvenir à vivre une relation heureuse et qui ne se soucient pas du temps qui passe: "Nous ne sommes pas immortels! Ne croyez pas que vous aurez tout le temps qu'il faut! Nul ne sait s'il sera encore là la semaine prochaine! *Soyez ici maintenant. Vivez votre amour dans le présent!*"

L'amour nourrit

On peut dire que toutes les qualités requises pour l'épanouissement de l'amour nécessitent de la maturité. C'est un point essentiel. Si nous ne voyons que nos besoins, si nous excluons ceux de notre partenaire, nous créons une relation parent/enfant, pas une relation d'égal à égal. Dans l'amour romantique, les partenaires égaux ne se vampirisent pas l'un l'autre; on peut dire qu'ils se "nourrissent".

Nourrir l'autre, c'est l'accepter sans réserve. C'est respecter sa souveraineté, son intégrité et son besoin de croissance et d'affirmation personnelle. L'autre nous *"tient à coeur"* au niveau le plus profond et le plus intime. Il s'agit donc de créer un contexte et un environnement dans lesquels la personne puisse vivre et s'épanouir.

Nourrir un être humain, c'est l'accepter tel qu'il est et croire dans son potentiel même s'il est à l'état latent; c'est être honnête avec ses propres besoins et ses propres désirs; c'est garder à l'esprit que l'autre ne vit pas uniquement pour nous satisfaire; c'est avoir confiance dans les ressources et les forces intérieures de l'autre et pouvoir apporter de l'aide quand elle est demandée (en allant parfois au devant); c'est créer un contexte dans lequel la personne sent qu'elle compte et comprendre qu'elle a parfois besoin de silence et de solitude.

Nourrir, c'est toucher, c'est caresser sans rien demander; c'est tenir l'autre dans ses bras et le protéger; c'est admettre qu'il laisse couler ses larmes et lui offrir du réconfort; c'est offrir une tasse de café qu'on n'a pas demandée.

L'enfant que nous avons été existe en chacun de nous. Sans que cela soit un signe d'immaturité, cet enfant a parfois besoin d'être nourri. Nous devons être conscients de cet enfant en nous et dans notre partenaire. Nous devons être en bons termes avec lui. Nourrir l'être aimé, c'est aussi nourrir "son" enfant en l'acceptant comme une partie inhérente de sa personnalité. Nourrir, c'est aimer non seulement la force de l'autre mais aussi sa fragilité, non seulement ce qui est puissant, mais aussi ce qui est délicat.

C'est ce schéma d'amour mutuel que l'on observe chez les gens qui s'aiment et qui savent aimer. Leur plénitude intérieure leur donne cette capacité. Leur sensibilité face à leurs propres besoins leur permet de reconnaître ceux des autres. Le fait d'accepter l'enfant qui vit en eux fait qu'ils acceptent aussi celui qui vit dans l'autre. Il est assez facile alors de comprendre pourquoi l'amour grandit et s'épanouit chez de telles personnes.

On comprend d'autant mieux pourquoi l'amour meurt en l'absence de compréhension, en l'absence de nourriture.

Je suis nourri lorsque je fais l'expérience que l'autre s'occupe de moi. Être privé de cette nourriture, c'est ne pas être aimé.

166

Je pense à deux amis qui s'aiment profondément mais qui sont très immatures, particulièrement la femme. Leur relation est tendue et orageuse, passionnée, entrecoupée de larmes, de séparations, de réconciliations. Il existe bien des raisons à leurs conflits, mais l'une des plus évidentes est l'incapacité qu'a la femme de nourrir son partenaire. Elle se sent très impliquée et essaie honnêtement... elle croit faire "tout ce qu'il faut" et ne comprend pas pourquoi son mari est aussi insatisfait. Elle "joue". Elle fait semblant de lui apporter ce qui lui est nécessaire: *"Regarde comme je suis une bonne petite fille. Prendras-tu soin de moi à présent?"* La nourriture qu'elle offre n'est pas organique. Elle ne vient pas du coeur et son mari le sent, même s'il ne parvient pas à le verbaliser. Il n'y a aucune spontanéité amoureuse ou individuelle dans ses attentions. C'est une sorte de manipulation subtile dont la femme n'est certainement pas consciente.

Que des gens qui s'aiment vraiment ne parviennent pas à se donner cette nourriture essentielle vient aussi du manque d'estime de soi. Les besoins de l'autre nous paraissent alors aussi irréels que les nôtres. On ne croit pas pouvoir exercer un impact sur l'autre et l'on peut ignorer la *force* que l'on possède dans ce domaine. Même si on le sait, c'est toute une accumulation de blessures et de ressentiments mal compris et non assimilés qui forment un véritable blocage et qui répriment nos besoins et nos désirs d'être nourris. Ignorant ce qui se passe en nous, nous ignorons ce qui se passe chez l'autre. J'ai pu observer au cours des années que les hommes et les femmes qui sont insensibles aux besoins de caresse et de consolation de l'autre oublient souvent leurs propres besoins. Quelles que soient les raisons de cette carence, il est certain que l'amour en souffre.

Revenons à l'exemple de la jeune femme. Cette "bonne petite fille" n'est pas égoïste, loin de là. Mais son soi n'est pas développé; il est trop immature. Un enfant ne peut nourrir un adulte.

Si cette femme essayait d'être altruiste, le problème s'accentuerait encore. Son mari aurait à son égard encore plus de ressentiment. Il ne désirerait pas qu'elle se sacrifie pour lui. Le problème de cette femme n'est pas d'être égoïste, mais d'omettre d'inclure son partenaire dans son égoïsme et c'est précisément le fait de l'amour immature.

Le concept d'égoïsme est crucial dans le domaine de l'amour romantique. Nous allons l'examiner plus en détail.

Amour et égoïsme

Quand on passe en revue toutes les inepties qui ont été écrites sur l'amour, je crois pouvoir dire que la plus absurde est celle qui veut que l'amour idéal soit *altruiste*. Ce que j'aime, c'est la matérialisation de mes valeurs chez une autre personne; dans ce sens, l'amour est un acte profond d'*affirmation de soi*.

Aimer *égoïstement* ne signifie pas d'être indifférent aux besoins ou aux intérêts de son partenaire. Répétons-le: lorsque nous aimons, notre concept d'intérêt individuel s'étend et embrasse le bien-être de l'être aimé. C'est là le grand hommage de l'amour : déclarer à un autre être que son bonheur a une importance égoïste pour nous-même.

Aimer, c'est me voir dans l'autre; c'est désirer me célébrer dans l'autre. Ceci n'est pas à proprement parler altruiste. Si j'honore son intégrité, si je me préoccupe de ses pensées, de ses sentiments, si je le prends dans mes bras, si je le caresse, si je l'aime comme ma propre vie, ce n'est pas désintéressé.

Les amoureux qui ont la sagesse de se consacrer du temps l'un à l'autre, de rester ensemble "*à ne rien faire*", à partager leurs sentiments, leurs pensées, leurs aspirations, à se vivre de "centre à centre", à partager le voyage à travers le soi en prenant l'autre comme miroir, comme révélateur, à faire de l'amour le chemin de la découverte de soi, le véhicule de la croissance personnelle, à le voir comme la porte de l'évolution individuelle, ces amoureux ne sont-ils pas l'expression la plus noble et la plus exaltante de l'égoïsme bien compris?

Aimer de façon altruiste est donc contradictoire.

Pour nous aider à comprendre ce principe, demandons-nous si nous désirons que notre amant nous caresse de façon altruiste, sans y trouver une gratification personnelle, ou si nous voulons qu'il nous caresse parce qu'il en éprouve plaisir et joie? Demandons-nous si nous désirons que notre partenaire nous consacre du temps, en voyant là un geste de *sacrifice*? Voulons-nous au contraire qu'il vive ces moments comme glorieux? Si c'est ce que nous désirons pour l'autre, si nous voulons qu'il vive sa joie, son ardeur, sa passion, son exaltation, ne parlons plus "d'amour altruiste" comme d'un noble idéal.

Même dans les relations les plus intimes et les plus amoureuses, nous devons respecter et avoir conscience de nos besoins et de nos désirs. Ceci n'exclut pas les compromis ou les concessions. Mais ignorer trop longtemps ses propres besoins, les sacrifier pour satisfaire ou contenter l'autre revient à commettre un crime pour le couple: on va contre ses propres valeurs, donc contre soi et contre l'autre en lui laissant un rôle de réceptacle de nos sacrifices, en le faisant devenir ainsi un objet de ressentiment. L'amour ne peut s'épanouir dans un tel contexte.

Si une personne qui se prétend amoureuse ne comprend pas l'art de nourrir son partenaire au sens où nous l'avons étudié, ce n'est pas un problème d'"égoïsme" mais de manque de maturité. L'amour romantique n'a que faire des sacrifices mais il a tout à gagner d'une compréhension adulte de l'égoïsme.

La sexualité comme expression de l'amour

Parfois, lorsqu'on pense aux défis que pose l'amour romantique, à tous les obstacles qu'il faut surmonter et dépasser, il est triste de voir autant de couples se détériorer et assister impuissants à la fuite de leur amour.

Certaines attitudes irresponsables, infantiles, immatures sont assez flagrantes et n'attirent guère la sympathie. Certaines causes sont plus subtiles, ce qui explique le désarroi et le sentiment d'incompréhension des "victimes". On ressent alors le chagrin de tous ceux qui se débattent dans le noir pour se créer une vie à eux.

Je pense à tous ceux qui ont grandi, étrangers à leur sexualité, à ceux qui vivent leurs réactions sexuelles, leurs fantasmes et leur comportement comme totalement extérieur à eux-mêmes et jamais comme une expression de soi tant physique que naturelle. L'amour leur est très difficile à vivre, car il y a un fossé entre leurs désirs, leurs valeurs et ce qu'ils admirent. Les "ordres" viennent d'un soi qui n'a jamais mûri.

On reconnaît que l'amour et l'acte sexuel, bien qu'intimement reliés, sont différents. On reconnaît que le désir sexuel n'entraîne pas nécessairement l'amour. On reconnaît que des expériences sexuelles gratifiantes peuvent avoir lieu sans qu'il s'agisse d'un grand amour. On reconnaît aussi que l'expérience sexuelle la plus intense se situe dans un contexte amoureux et est l'expression même de l'amour. Quel est donc le tourment qui habite ceux qui prétendent qu'être amoureux n'entraîne pas chez eux un ardent désir sexuel ou qui affirment que leurs meilleures expériences n'ont lieu qu'en l'absence d'amour? Il s'agit là de personnes aliénées sexuellement, dont la vie amoureuse est inévitablement insatisfaisante. Il leur arrive de répondre que l'amour les laisse indifférentes et qu'il les embarrasse.

Rappelons que l'auto-aliénation sexuelle est, comme toute aliénation, un état d'esprit. Je veux dire qu'*en fait* nos réactions sexuelles sont *toujours* une expression de soi, *toujours* une expression de ce que nous sommes même si nous le vivons pas nécessairement ainsi.

On reconnaît généralement que les messages sexuellement prohibitifs reçus dans l'enfance, soit des parents, soit sur le plan de l'éducation religieuse, encouragent et exacerbent l'auto-aliénation sexuelle. La sexualité est considérée comme la partie la plus noire et la moins acceptable du soi. L'éducation n'est pourtant pas la cause unique de cette aliénation.

Lorsqu'on possède une estime de soi saine et vigoureuse, lorsque l'amour que l'on a de soi est vécu de façon harmonieuse, la sexualité est une expression naturelle et spontanée des sentiments que l'on porte à son partenaire, à soi-même, à la vie. Par contre, douter profondément de sa valeur personnelle, vivre avec un sens chronique de menace ou de condamnation fait de la sexualité la preuve que nous sommes les éternels "vilains", comme le disaient papa et maman, ou le moyen de nous rassurer, de prouver que nous ne sommes pas *mauvais*, de nous protéger en contrôlant un autre être humain ou de renouer inconsciemment avec nos fantasmes parentaux, et ainsi de suite.

Le lit est une sorte d'arène métaphysique dans laquelle nous jouons le drame de notre vie. On sait par exemple qu'une très grande majorité de personnes "ayant le pouvoir" (principalement des hommes politiques) ont tendance à atteindre la jouissance sexuelle au cours d'expériences sado-masochistes (Janus, Bess et Saltus, 1977). La souffrance — la capacité de l'infliger et/ou de la subir — est une prime émotionelle très élevée. Ces personnes réussissent rarement leur couple. Ils ne se sentent pas libres d'explorer les profondeurs de la fascination qu'exercent la souffrance, l'humiliation, la dégradation. Ils font généralement appel à des prostituées.

Le lit peut être le lieu où nous vivons notre crainte de l'intimité, où la sexualité ne dépasse jamais le stade de la masturbation. Le lit peut être le lieu où deux enfants se tiennent par la main pour faire face aux terreurs que leur inspire le monde adulte. Le lit peut être l'endroit où un homme et une femme rejouent sans fin le scénario du rejet et du combat pour regagner l'approbation et l'amour de leurs parents.

Le lit, c'est aussi le lieu où l'histoire d'amour que l'on a avec la vie explose et déborde dans un torrent de joie et d'excitation. Il peut être le lieu où deux amants expriment leur adoration mutuelle et débordent des limites de la chair et de l'esprit en rendant manifestes les valeurs essentielles de la vie.

L'amour romantique requiert une sexualité intégrée au soi, une sexualité qui n'est pas en guerre avec les autres valeurs primordiales de la personnalité.

Si l'on n'est pas divisé ou en lutte contre soi-même pour "prouver" sa valeur ou autre chose, on se sent libre de jouir de soi-même, de la vie, de l'autre; on ne vit pas une dichotomie entre le corps et l'esprit, la chair et le psychisme. On n'est pas partagé entre l'admiration et la passion. On sent vraiment que l'autre est merveilleux; on est fier de ses désirs sexuels.

Le problème vient du fait que nous n'aimons pas nos réactions sexuelles. Nous avons tendance à les désavouer, à nier ou éviter la réalité de nos sentiments ou de nos actes. On scelle alors hermétiquement notre psychologie sexuelle; on la coupe du reste de notre expérience consciente, de notre connaissance, de notre intelligence. On reste "coincé", sans espoir et ce *sans raison valable*. On ne peut espérer dépasser une condition dont on nie la réalité. On reste ainsi prisonnier de son immaturité, prisonnier de situation non résolues dans l'enfance qui nous séparent des joies et des satisfactions que procure l'âge adulte.

Emprisonné, l'amour romantique est ressenti comme la quête douloureuse d'un lointain idéal, accessible pour les autres, mais jamais pour soi.

On peut donc comprendre combien il est précieux d'accepter sans culpabilité, mais avec joie, la sexualité et les réactions qu'elle suscite en nous, qu'elle provoque dans notre corps et dans celui de notre partenaire.

Lorsque la sexualité est le véhicule de l'auto-célébration et de celle de l'autre, elle est vécue comme une expression de vitalité et de joie de vivre. On crée alors le contexte épanouissant et élargi qui convient à l'amour romantique.

Le plaisir reçu et donné réaffirme chacun dans la certitude qu'il est source de joie. La joie nourrit l'amour; elle le fait croître. Par contre, il est difficile de ne pas ressentir une négligence sexuelle comme un signe de rejet ou d'abandon, quelles que soient les protestations d'un partenaire qui se proclame tout dévoué. Le sexe n'est pas tout l'amour romantique, mais on ne peut imaginer de relation amoureuse sans lui, sauf dans des cas rarissimes ou dans des circonstances tragiques, jamais comme mode de vie délibérément choisi. Le sexe à son niveau le plus élevé est la célébration ultime de l'amour.

L'admiration

Tout en reconnaissant l'importance de la passion sexuelle, il reste que cette dernière ne suffit pas à soutenir un couple une vie durant. La passion ne procure pas le support nécessaire à la relation; il faut de l'admiration entre les partenaires.

Nous avons vu précédemment que deux personnes amoureuses éprouvent de l'admiration l'une pour l'autre. Ce n'est malheureusement pas le lot de la majorité des couples. Mais on sait pourtant que sans admiration, l'amour ne dure pas. Il arrive trop souvent que l'amour ne survive pas au stress auquel il est soumis.

L'admiration entre deux êtres est le système de support le plus puissant d'une relation. C'est son fondement le plus solide. En conséquence, il est plus que vraisemblable que le couple sera mieux à même d'affronter les pressions, les tempêtes inhérentes à la vie, et qu'il saura y faire face.

Bien des gens ont peur de se demander s'ils admirent leur partenaire. Il semble moins effrayant de se demander si on l'aime, si on le désire ou si l'on apprécie être en sa compagnie. On court le risque de découvrir qu'on est lié à l'autre plus par dépendance ou immaturité que par un sentiment d'estime authentique.

Chaque fois que j'aborde ce sujet au cours d'une conférence, cela provoque inévitablement un courant d'appréhension dans la salle. Quelques couples semblent au contraire rayonnants de plaisir et de fierté.

Il est surprenant de voir à quel point les gens sont inconscients de l'importance de ce facteur. Ils peuvent parler pendant des heures des difficultés qu'ils éprouvent dans leur relation sans jamais aborder le sujet de l'admiration.

Une femme vint me consulter parce qu'elle était malheureuse avec son mari. Elle me dit ne pas comprendre son état. Je lui demandai quel genre d'homme était son mari et ce qu'elle pensait de lui. "Il est merveilleux. Il m'apporte le petit déjeuner au lit chaque matin. Il est très gentil. Il ne critique jamais, ne se plaint jamais, ne demande jamais rien. Il est très attentionné. Je n'ai jamais été aussi bien traitée de ma vie. Il est vraiment merveilleux." Je lui demandai: "Mise à part la façon dont il vous traite, que pensez-vous de lui en tant qu'être humain?" La femme me répondit spontanément: "Il est terrible. Menteur, faible, tricheur. Il est en train de détourner l'argent de la compagnie où il travaille. Il abuse de son charme. En fait, c'est un raté!" Je lui demandai si elle pensait que tout ceci avait un rapport avec sa tristesse et elle accueillit cette question comme une révélation.

Les pressions extérieures et intérieures peuvent toutes provoquer la chute d'une relation au fil des années. L'admiration peut aider à maintenir l'amour. En plus d'apporter un réel soutien, c'est un sentiment très enrichissant. Être admiré, c'est se sentir visible, apprécié, aimé. Cela renforce l'amour que nous portons à l'autre. Ressentir ou exprimer de l'admiration, c'est aussi se sentir fier de son choix amoureux. C'est se sentir confirmé dans son jugement, renforcé dans ses sentiments d'amour. Deux amants qui s'admirent profondément connaissent une forme de délice qui alimente continuellement leur relation.

Ceci nous ramène au début de ce chapitre, à savoir au rôle crucial de l'estime de soi. Lorsque des individus qui ont une haute estime de soi tombent amoureux, il est presque certain que l'admiration se trouve au coeur même de leur relation. Ce sentiment est partagé. L'admiration ne prédomine pas chez ceux qui ont une piètre idée d'eux-mêmes. En fait, j'ai pu remarquer au cours des années que le seul fait d'aborder ce sujet les rend mal à l'aise.

Il n'est donc pas étonnant qu'un couple qui vit son admiration voie son amour croître. Inversement, sans admiration partagée, l'amour ne peut survivre longtemps.

Le courage d'aimer

Lorsqu'on parle des défis et des difficultés de l'amour, on omet souvent de dire que l'amour peut être un sujet terrifiant.

Lorsqu'on aime, on perçoit son partenaire comme très important, comme crucial pour ce qui touche à notre bonheur. On laisse l'autre pénétrer dans notre monde intime, peut-être pour la première fois de notre vie. On se "rend" en quelque sorte, non pas à l'autre mais à ses propres sentiments. En permettant à un être de devenir aussi important, on se trouve face à un problème, à un obstacle. C'est sa perte possible; c'est la possibilité de ne pas être aimé en retour, de ne plus être aimé, de mourir.

Dans les sessions intensives sur *l'estime de soi et les relations romantiques*, je fais faire un exercice aux participants. Ils se séparent en deux groupes, les hommes d'une part et les femmes de l'autre. Je demande à chacun de réfléchir sur son besoin de l'autre, sur ce qu'il pense de l'autre sexe. Il est très fréquent de voir les gens éprouver non seulement des sentiments de crainte, mais aussi de la colère et du ressentiment. Le besoin crée une vulnérabilité qui peut être terrifiante, voire enrageante.

J'ai pu constater au cours des années que l'essentiel de ce qu'on appelle la guerre des sexes provient de la peur d'être rejeté, abandonné et de la crainte d'une perte. Hommes et femmes opposent souvent une grande résistance au fait de reconnaître qu'ils ont besoin de l'autre, que le sexe opposé joue un rôle prépondérant dans leur joie de vivre et dans la réalisation de leur potentiel. Certaines personnes ne supportent pas cette idée.

Pour ma part, je suis convaincu que toutes les sottises que disent les femmes sur les hommes et les hommes sur les femmes dans des moments de peine, de jalousie ou de colère reflètent tout bonnement des expériences passées de rejet ou d'abandon. On constate alors que les gens n'assument pas leur peur, qu'ils n'y font pas face honnêtement et qu'ils ne la reconnaissent pas pour ce qu'elle est. Ils la rationalisent et la justifient en énonçant des banalités sur "les hommes" et "les femmes", évitant ainsi l'angoisse et la peine d'aller plus loin.

Étant donné que la plupart des gens ont déjà vécu des sentiments de rejet dans leur enfance, ils sont pour ainsi dire "conditionnés" à la catastrophe, à la tragédie lorsque, adultes, ils tombent amoureux. Ils "savent" que l'amour est synonyme de douleur, de blessure, de rejet et de perte. En plus des expériences de l'enfance, ils ont pu être blessés au cours de relations passées.

J'ai parlé précédemment de l'importance de la communication. Or, les craintes énoncées plus haut constituent une barrière considérable à la communication. Lorsqu'un couple amoureux se dispute, il est très fréquent de voir chacun se "fermer", renier ses sentiments les plus profonds et l'amour qu'il porte à l'autre afin de se protéger en cas d'échec. Chacun devient impersonnel, lointain, voire hostile. Chacun a peur mais refuse de le reconnaître. Le couple ne reste pas ouvert; il n'est plus vulnérable. Par conséquent, la communication est bloquée, sabotée. Les paroles expriment rarement ce que chacun ressent. La communication est déviée, chacun s'interdisant d'exprimer ses sentiments profonds. C'est la raison pour laquelle il est parfois complexe de résoudre les conflits. Chacun parle à l'autre derrière son masque.

Bien des hommes portent en eux des sentiments conscients ou inconscients d'hostilité vis-à-vis des femmes, et de nombreuses femmes portent en elles consciemment ou non des sentiments d'hostilité vis-à-vis des hommes. Ceci n'est pas — ne peut pas être — dans la nature de la vie. Hommes et femmes ont besoin les uns des autres; ils devraient être amis. Au lieu de cela ils sont ennemis, par crainte d'être blessés.

Ce n'est pas la peur elle-même qui cause tous ces dommages, mais le refus d'admettre ce sentiment, le refus de l'assumer et de le regarder en face. Chacun sent l'hostilité de l'autre, ce qui a pour effet de la renforcer. S'il s'agit d'une relation amoureuse, elle se transforme vite en un rapport entre deux forteresses.

Lorsqu'un conflit survient dans le couple, les partenaires ne disent pas: "Je t'aime et j'ai peur de te perdre." Ils disent: "Je ne suis plus aussi certaine(e) de t'aimer." Il faut beaucoup de courage pour admettre que l'on a peur. Mais c'est le prix qu'il faut payer si l'on veut sauvegarder sa relation. Lorsque, par lâcheté, on a déjà sabordé plusieurs relations, on est enclin à croire que l'amour n'est qu'une illusion, une aventure immature. Il est plus facile de condamner l'amour en soi que de reconnaître que ce n'est pas un jeu pour personnes fragiles.

J'ai parfois entendu des gens discuter de leur crainte, non en termes de rejet ou d'abandon mais en termes de perte de soi.

Certains craignent que l'amour ne les oblige à perdre leur identité, ne les force à y renoncer; ils ont peur d'être submergés corps et âme par leur amour. Personnellement, je n'ai jamais entendu des gens ayant confiance en eux se plaindre à ce sujet. Bien au contraire. Plus les individus ont une haute estime d'eux-mêmes, moins ils redoutent de se perdre l'un l'autre. Je crois pour ma part que ceux qui expriment cette crainte reconnaissent inconsciemment l'intensité de leur besoin d'amour et la peur que ce besoin ne les oblige à tout sacrifier: esprit, idées, intégrité. Si tel est le cas, il s'agit de personnes fort peu autonomes dont la personnalité est sous-développée.

J'ai également entendu des hommes et des femmes déclarer que l'amour est une menace pour leur travail. S'abandonner à l'amour, disent-ils, équivaut à saper sa carrière. En tant qu'homme qui a toujours eu pour but de réaliser ses objectifs et qui sait ce qu'aimer son travail veut dire, je n'ai jamais cru un instant à cet argument. Je suis convaincu qu'il s'agit de la crainte de se retrouver seul avec son partenaire. Il y a aussi la peur que l'un des partenaires ne respecte pas les obligations du métier de l'autre et que, craignant de lui déplaire, on n'ait tendance à négliger son travail. Cette crainte ressemble beaucoup à celle de la perte de soi. Il s'agit d'un problème d'autonomie, d'un manque de décision et de maturité. Si quelqu'un se trouve dans ce cas-là et ne sait comment résoudre son problème, il est préférable qu'il regarde la situation en face et qu'il ne s'engage pas dans des relations intimes. Il faut dire que ce conseil n'est pratiquement jamais suivi. Les gens veulent aimer. Ils veulent vivre des relations, se marier, mais ils refusent tout ce qui découle d'une liaison sérieuse: ils rejettent l'obligation de s'assumer eux-mêmes; ils refusent d'être présents, sauf à des moments imprévisibles, et ils veulent que leur partenaire accepte cette situation et la subisse sans se plaindre, en faisant semblant de vivre une merveilleuse histoire d'amour. Ce qu'ils désirent, en fin de compte, est paradoxal: aimer sans aimer.

Même si nous n'avons commis aucune de ces erreurs, même si nous n'avons pas souffert de rejets dans notre enfance ou au cours de relations précédentes, même si nous considérons l'amour sans crainte et sans angoisse, il existe une menace ultime, c'est celle de la perte de l'être aimé. La mort fait partie de la réalité de la vie. On sait que l'un des deux mourra le premier. On ignore à quel moment. Il est inutile de se tourmenter avec cette question, mais il est impossible de l'ignorer. Même si nous avons la sagesse d'accepter l'idée avec sérénité, il nous faut commencer par reconnaître ce fait inéluctable. Il faut l'examiner honnêtement, courageusement.

Ma détresse était telle après la mort de Patrecia que lorsque je devins amoureux d'une autre femme, je passai par des moments de terreur indescriptibles. J'étais obligé de faire face à l'un des aspects les plus terrifiants de l'amour romantique.

J'ai déjà parlé de l'art qui consiste à accepter ses sentiments et à ne pas fuir la réalité de son expérience. C'est par le décès de l'être aimé que l'on apprend à tester ce principe. Le deuil est nécessaire, les lamentations sont nécessaires si l'on veut que l'organisme retrouve son état normal et si l'on veut reconquérir un bien-être émotionnel. La mort de l'être cher reste cependant une épreuve horrible.

Il ne suffit pas de laisser libre cours à sa douleur et à sa peine. Il faut aussi vouloir faire l'expérience de tous les sentiments, de toutes les pensées et de tous les fantasmes qui surgissent et qui vous torturent.

Je vais essayer de relater l'année qui suivit la mort de Patrecia.

Certains jours, à certains moments, je ressentais toute l'horreur de sa mort, et ce sentiment montait en moi. J'avais tendance à me raidir contre cette agonie. Je me disais alors: "Respire; laisse-toi aller; ne lutte pas; accepte." Parfois je me sentais assailli par la culpabilité et les reproches et je n'essayais même pas de me dire que c'était irrationnel. Je me disais: "Très bien. Aujourd'hui, c'est un jour de culpabilité. Accepte-le aussi." Je m'éveillais certains matins euphorique, pour retomber quelques instants plus tard dans un torrent de larmes et de sanglots désespérés. Je ne pouvais rien faire d'autre qu'accepter, ne pas lutter, laisser mon corps réagir comme il le devait, le laisser ressentir ce qu'il devait ressentir. Parfois, de façon imprévisible, je ressentais de violents désirs sexuels — suivis d'une rage terrible — puis, plus tard, un sentiment dévastateur d'impuissance. Certains jours, je me remémorais tout ce qui m'ennuyait chez Patrecia, comme si le fait de m'attarder sur ses défauts réels ou imaginaires minimisait sa mort. J'essayais de ne pas lutter, de ne rien changer, de ne rien corriger. Je m'armais de patience; j'attendais. Les moments les plus durs étaient ceux où je sentais chaque partie de moi-même se désintégrer, comme si la structure de mon corps et de mon esprit tombait en morceaux, comme si je faisais une chute interminable dans le vide. Chacune de mes cellules criait le nom de Patrecia.

Il m'arrivait bien sûr de lutter contre mes sentiments, de résister lorsque c'était trop lourd à supporter. Mon corps n'était plus qu'un immense refus. L'épreuve était alors *d'accepter cette résistance*, de laisser la lutte et le refus sortir, de les vivre et d'attendre.

C'était là un acte de foi, de confiance dans les ressources de l'organisme; c'était la croyance que si je faisais de mon mieux pour assumer ce que je vivais, même dans les moments où je refusais cette confrontation, une intégration et une guérison pourraient se produire. C'est ce qui arriva — et ce qui continue de se passer aujourd'hui.

Je dois dire ici que pour m'ouvrir à une autre femme, pour lui permettre de jouer un rôle aussi important dans ma vie, sans réserve et sans limite, je devais accepter de m'exposer une fois de plus à cette agonie. Je redevenais vulnérable.

C'est ainsi que je dus faire face à une des épreuves les plus terrifiantes de l'amour.*

J'ai eu beaucoup de chance. La femme dont je suis devenu amoureux m'encourage à parler non seulement de mon angoisse à vivre un nouvel amour, mais aussi de mes sentiments relatifs à Patrecia. Je n'ai jamais dû cacher quoi que ce soit.

Que faut-il faire lorsque nous ressentons la terreur que j'ai décrite? Il faut arriver à l'assumer, à l'exprimer, à en parler. Il ne faut pas prétendre qu'elle n'existe pas.

Ce n'est pas la crainte de perdre quelqu'un qui nous détruit. C'est le fait de nier cette crainte. Si nous la reconnaissons, si nous l'exprimons, nous découvrons qu'elle disparaît graduellement. Même si elle est encore présente, elle ne peut nous manipuler au point que nous sabotions notre amour. Si nous refusons d'être conscients, si nous refusons nos peurs, nous jouons le jeu: nous nous détachons de notre partenaire, nous revendiquons notre liberté et nous inventons toutes sortes de tactiques pour détruire notre bonheur.

L'inconscience est toujours l'ennemie; la conscience toujours l'alliée: conscience, acceptation et expression de ses sentiments.

J'ai dit au début que, pour moi, l'amour romantique représente un des plus grands défis et une des aventures les plus fantastiques de l'existence. Il est très exigeant. Il requiert un haut niveau d'évolution personnelle. Il est sans pitié, implacable, comme la loi de la gravité. Si nous ne sommes pas prêts, nous tombons, nous échouons.

Même dans les meilleurs cas, nous nous demandons si l'amour durera toujours. Nous nous demandons si notre

---

* Parfois on ressent cette terreur à la suite d'un divorce particulièrement douloureux et l'on tombe amoureux de quelqu'un d'autre: le principe et le problème sont les mêmes.

amour nous conduira ou non au mariage et quel en est le but. Nous nous demandons si, outre le fait d'aimer notre partenaire, nous ne désirerons pas quelqu'un d'autre? Dans quelque direction que nous nous tournions, nous voyons que la vie change et évolue. Nous nous demandons à juste titre si l'amour romantique est l'exception à la règle.

Le mariage, le divorce
et l'amour toujours

Lorsque deux personnes désirent vivre ensemble, partager leur vie, leurs joies et leurs luttes, lorsqu'elles désirent que leur engagement soit rendu public, elles se marient afin de rendre plus solennel et plus social leur choix amoureux.

L'institution du mariage telle que nous la connaissons aujourd'hui apporte une réponse à notre désir, à notre besoin de structure. Ceci ne veut pas dire que chaque couple qui tombe amoureux pense automatiquement à se marier. Un grand nombre n'y pensent pas. De plus en plus de couples choisissent de vivre ensemble sans passer par le mariage. Dans les cas où les partenaires décident de se marier, je crois que l'on peut y trouver une explication. Il s'agit d'une envie très humaine, très naturelle de structure.

Certains aspects légaux et financiers se rattachent au mariage: protection des enfants, héritage, etc. Bien que purement pratiques, ces détails ont leur importance. Je ne pense pas cependant qu'ils constituent l'essence même du mariage.

Le désir de structure est loin d'être irrationnel. Ce qui l'est, c'est de croire qu'une structure en soi peut résoudre tous les problèmes au sein d'une relation.

Ni la religion ni l'État n'ont créé le mariage. Ils se sont réservé le droit de sanctionner, de bénir ou de contrôler une relation suivant les besoins et les choix des individus. Il est important de le souligner car certains ressentiments face aux implications religieuses ou sociales du mariage se retournent contre l'institution elle-même.

L'essence du mariage — spécialement dans le sens où nous l'entendons — n'est pas d'ordre légal mais psychologique. Il y a des gens qui vivent sans approbation légale et qui sont plus profondément mariés psychologiquement que des époux "officiels". Ce qui importe ici, c'est *l'engagement de chacun.*

Cela signifie avant tout la capacité d'accepter sans réticence l'importance qu'une personne a pour nous, pour notre vie. Cela veut dire que nous vivons notre partenaire comme essentiel à notre bonheur et que nous reconnaissons cette situation. Plus encore, cela signifie que notre intérêt personnel s'est élargi et englobe les intérêts de l'être que nous aimons, de sorte que son bonheur et son bien-être deviennent notre propre intérêt. Sans aucune perte d'individualité, on éprouve un sentiment d'unité; on sent que l'on fait bloc ensemble, face au monde. C'est une sorte d'alliance. Quiconque blesse mon partenaire me blesse aussi. La protection et la sauvegarde de la relation est ma priorité, ce qui veut dire que je n'agirai jamais consciemment pour saboter ma relation. Je respecte profondément les besoins du couple que je forme et j'essaie d'être à même de répondre à ces besoins du mieux que je peux.

Il est assez facile de voir que peu de mariages procèdent d'un véritable engagement.

Parfois, des couples demandent: "Pourquoi s'en faire avec tout ça? N'est-il pas suffisant de s'aimer? Pourquoi se marier? De plus, nous ne voulons pas d'enfants." Le mariage n'est pas une obligation, c'est un choix. Personne ne peut affirmer que l'on "doit" se marier. Il n'existe aucune règle dans ce domaine. Si un couple désire vivre hors du mariage, nul n'a le droit de les forcer à changer d'idée. Le mariage est une entreprise trop difficile et trop hasardeuse pour être prise à la légère. Il faut un enthousiasme à toute épreuve pour l'accepter. Par contre, il est difficile de ne pas penser — et plusieurs études effectuées récemment le prouvent — que le refus de se marier correspond à une *crainte de s'engager*, à une peur de se dévouer totalement et sans réserve à une relation quelle qu'elle soit.

Être capable de s'engager dans le mariage présuppose un certain niveau de maturité. Cela présuppose entre autres une certaine sagesse quant au choix de son conjoint, afin de rendre l'union viable. On sait d'autre part que les jeunes gens qui se marient de nos jours divorceront peu de temps après. Malheureusement, l'âge idéal pour avoir des enfants ne correspond pas à l'âge idéal pour se marier, du moins dans l'état psychologique actuel. Nous devons donc nous faire à l'idée que la grande majorité des mariages entre jeunes gens se terminera par des divorces et cela à un rythme croissant pendant les années qui viennent. Le divorce est devenu une façon normale de vivre; ce n'est donc pas une *déviation* par rapport à la normalité, c'est devenu *la norme*.

Cependant, la plupart des gens qui divorcent se remarient par la suite. Ils ont peut-être perdu tout enthousiasme pour leur premier conjoint mais ils ont conservé leur enthousiasme pour le mariage, si l'on en juge selon les statistiques sur le nombre de seconds et de troisièmes mariages. Cette institution continue donc à représenter une préférence pour la plupart des hommes et des femmes.

Alors que la monogamie qui dure toute la vie constitue encore l'idéal plus ou moins officiel de notre culture, la réalité sociale semble être mieux décrite par la monogamie *sérielle*. On n'est marié qu'à une seule personne à la fois (monogamie) mais, au cours de sa vie, on peut être marié à deux ou trois personnes différentes (monogamie sérielle).

Cela n'est ni malheureux, ni tragique. Et cela ne signifie pas que l'on considère le mariage à la légère. *C'est une erreur de croire qu'un mariage est sans valeur s'il ne dure pas toute la vie.*

On mesure la valeur d'un mariage à la joie qu'il procure, non à sa longévité. Rester quinze ans avec quelqu'un qui nous rend malheureux et qui nous frustre n'a rien d'admirable.

De plus, il serait erroné de croire que les mariages sériels sont devenus de plus en plus la norme parce que les gens sont immatures, parce qu'ils ne savent pas comment vivre une relation amoureuse ou choisir avec perspicacité leur partenaire. Bien que ce facteur soit important, il n'est pas le seul à expliquer le nombre des divorces.

Il faut bien reconnaître que le changement et la croissance font partie intégrante de la vie. Deux êtres poursuivant chacun deux routes séparées les menant à leur évolution personnelle peuvent se rencontrer à un moment donné et faire "un bout de chemin" ensemble avec une grande joie et un sentiment mutuel d'épanouissement. Il peut arriver aussi que leurs chemins se séparent ou que des besoins urgents et fondamentaux les forcent à prendre une autre direction. Il faut alors se dire au revoir. Il est dans la nature humaine de s'accrocher, de continuer et l'on voit des gens résister passionnément aux forces qui les habitent et refuser de vivre de nouvelles situations.

J'ai à l'esprit une histoire d'amour entre une jeune femme de vingt-deux ans et un homme de quarante et un ans. Lui venait de divorcer et sortait d'une union très malheureuse; elle, d'une relation très frustrante avec un jeune homme immature. Voyant l'homme de quarante et un ans, elle trouva la maturité qui lui manquait, assortie d'une joie de vivre comparable à la sienne. Lui voyait dans les yeux de la jeune femme le reflet de son amour pour la vie et un enthousiasme radieux tel qu'il n'en avait jamais connu lors de son mariage. Ils devinrent amoureux l'un de l'autre. Pendant quelque temps, ils furent merveilleusement heureux. Le temps passa et les conflits commencèrent à surgir. Elle désirait être libre, jouer, faire des expériences, en un mot vivre sa jeunesse. Lui désirait la stabilité d'un engagement ferme. Graduellement, ils virent combien leur niveau d'évolution était différent et par conséquent, combien leurs désirs et leurs besoins étaient incompatibles. Ils durent se quitter. Peut-on dire pour autant que leur relation ait été un échec? Je ne le pense pas. Chacun a su apporter à l'autre quelque chose de merveilleux et d'enrichissant, quelque chose de mémorable.

Il arrive que les couples privilégient leur relation aux dépens de tout autre besoin de croissance ou d'épanouissement individuel, et qu'ils répriment leurs impulsions. La sécurité et la conscience qu'ils possèdent une "valeur sûre" prennent le pas sur la possibilité qu'ils ont de devenir autres. Il s'agit là d'un choix. On prend ce que l'on veut et l'on paie pour. L'amour romantique ne survit pas toujours à de tels choix.

Intermède: processus ou structure

Il est courant de nos jours d'entendre dire que "la monogamie est vouée à l'échec" ou que "le mariage n'est pas viable". On ne peut nier qu'il y ait une part de vérité dans ces déclarations. Mais il ne faut pas tout confondre. Le fait est que la "non-monogamie" est aussi un échec et que le "non-mariage" n'est guère plus fructueux, pour la bonne raison que pour certains, *rien* ne marche.

On ne détient pas encore les preuves suggérant que les célibataires sont plus heureux que les gens mariés et vice versa. Ainsi, l'absence de monogamie n'apporte pas plus de gages de bonheur que la monogamie. Tout choix entraîne ses propres difficultés.

Lorsqu'on me demande si je crois dans la monogamie (ou plus précisément dans l'exclusivité sexuelle) ou dans le mariage, je ne peux pas répondre à la question telle qu'elle est formulée. En fait, je ne crois ni ne doute. Ce qui est certain, c'est que la question est faussée dès le départ.

Elle implique qu'une structure est en soi supérieure à une autre, sans tenir compte de la personnalité de chacun, du psychisme, de la conduite, du comportement et de la manière de vivre avec quelqu'un. Il s'agit ici de ce que j'appelle "une approche structurale" des relations humaines. Je suis pour ma part à l'opposé puisque je propose une "approche de processus". Voici en quoi ces façons d'aborder les choses diffèrent entre elles.

La première approche met l'accent d'abord sur la *forme* que prend une relation; la seconde sur ce qui arrive de spécifique aux personnes concernées. Lorsque je parle de "forme" relationnelle, je me réfère à des facteurs tels que le fait pour un couple de vivre ensemble, marié ou non, d'admettre des liaisons en dehors du mariage ou de l'union, etc. Lorsque je parle de "processus", je me réfère aux diverses façons dont les partenaires se comportent ensemble, en somme au type de questions dont j'ai parlé dans ce chapitre.

Pour prendre un cas extrême, si deux couples choisissent de vivre à quatre, il s'agit de la forme; cela ne nous dit rien sur la façon dont se comporte le ménage. Ceci est une question de *processus.* Savoir qu'ils sont quatre ne nous dit pas s'ils assument leurs sentiments, s'ils les désavouent, s'ils expriment leurs désirs ou s'ils les dissimulent, s'ils s'intéressent uniquement à eux-mêmes en rejetant tout ce qui leur est extérieur, s'ils sont honnêtes ou manipulateurs, si l'on fait l'expérience de la visibilité en leur compagnie, s'ils savent créer une atmosphère de respect et de dignité ou au contraire d'hystérie et de jeu. Si les *processus* utilisés entre eux sont rationnels, adéquats et fondés par rapport à la réalité, ils sauront bientôt si leur mariage à quatre est réussi ou non. Si leurs processus ne sont ni rationnels, ni adéquats, ni réalistes, *rien* ne marchera jamais, ni un mariage à quatre, ni un mariage traditionnel, ni des liaisons, ni le célibat.

Le fait est que si une personne ignore comment se conduire avec son partenaire, si elle est dénuée de sensibilité et d'intelligence dans sa relation, changer de conjoint ne rehaussera sans doute pas sa sagesse défaillante. Cela élargira simplement son champ d'incompétence. Si quelqu'un a la compétence et la sensibilité requises pour vivre une relation amoureuse, il ou elle saura qu'il n'existe pas de règle absolue en ce qui concerne les questions comme l'exclusivité sexuelle, et que cela dépend toujours du contexte où l'on évolue, de l'histoire personnelle, du mode de vie, des besoins de croissance, des besoins d'ordre émotionnel et de l'ensemble de la psychologie des personnes concernées.

Dans les domaines tels que l'exclusivité sexuelle, sur lequel nous ne nous attarderons pas, on ne peut écrire de prescriptions réalistes convenant à tout un chacun. Les solutions sont toujours "taillées sur mesure".

Si l'orthodoxie désuette taxait d'amorale toute liaison extra-conjugale, la nouvelle orthodoxie aurait plutôt tendance à ne considérer comme saines et acceptables que les relations à partenaires multiples. Autrefois, lorsqu'un couple venait consulter un conseiller conjugal parce que l'un des conjoints désirait avoir une liaison, on s'accordait à dire que le problème appartenait à celui qui désirait la liaison. Aujourd'hui, on pense souvent que le problème se retrouve dans le camp de la personne qui fait objection. Je ne crois pas qu'il s'agisse là d'un progrès. Les deux parties considèrent qu'il doit y avoir un coupable, qu'il existe un modèle juste pour tout le monde et que quiconque déroge à cette loi doit être "rappelé à l'ordre".

Quel que soit le choix que l'on fasse, il aura ses conséquences. De tous les proverbes que je connais, mon préféré est espagnol: "Prends ce que tu veux dit Dieu, et paie." Les individus matures sont capables de prévoir les conséquences de leurs actes et d'en prendre la responsabilité. Il nous est parfois impossible de prévoir toutes les conséquences. Si nous maintenons notre choix, nous devons être conscients de cette part d'incertitude et du fait que ce qui se passera par la suite ne nous plaira peut-être pas.

Certaines personnes savent comment faire en sorte que le mariage et l'exclusivité sexuelle soient un succès. D'autres réussissent (moins nombreux) à faire du "non-mariage" et de la "non-exclusivité sexuelle" un succès. *Dans les deux cas, ils sont une minorité.*

J'ai connu des couples qui ont commencé par vivre sur la base de l'exclusivité sexuelle et qui ont plus tard opté pour d'autres solutions, revenant plus tard à leur choix initial. J'ai connu des couples qui ont commencé en se basant sur des liaisons extra-conjugales, qui ont ensuite changé et qui sont eux aussi revenus à la première formule. De telles relations survivent parfois.

Si je me réfère à ma propre expérience ou à celle de mes collègues auxquels j'ai parlé de la question, j'en arrive à la conclusion que la majorité des couples ou des individus qui ont vécu des relations "ouvertes" sur le plan sexuel dans leurs jeunes années ont généralement tendance dix ou vingt ans plus tard à favoriser l'exclusivité sexuelle. C'est ce que semble conclure Nena O'Neill dans son ouvrage *The Marriage Premise* (1977) écrit quelques années après le célèbre *Open Marriage* (1972) dont elle fut le co-auteur. Il semble que ces revirements s'expliquent par le désir de vivre un attachement ferme, la stabilité et la sécurité qu'apporte un engagement total et par un certain désenchantement provenant de liaisons et d'expériences multipliées. Il y a aussi le sentiment que l'amour romantique, dans le contexte d'une relation exclusive, peut à la fin être l'aventure la plus excitante.

Telle est ma conviction profonde.

L'exclusivité sexuelle

Dans le contexte du mariage ou de toute relation romantique d'où ressort un attachement profond, que penser de l'exclusivité sexuelle?

Lorsqu'on est profondément amoureux, je crois que ce désir est parfaitement normal. Lorsqu'on aime passionnément, l'acte sexuel est vécu comme beaucoup plus qu'un simple acte physique. C'est le véhicule puissant de l'expression de l'amour. Il ne s'agit pas seulement de la rencontre de deux épidermes, mais de celle de deux âmes. Par conséquent, le fait de penser que celui ou celle qu'on aime partage de tels instants avec quelqu'un d'autre est douloureux. Les cultures qui trouvent la sexualité hors mariage normale font peu de cas du mariage et ne l'associent pas à une passion intense.

Je ne veux pas dire pour autant que toute liaison doit ou devrait nécessairement provoquer une catastrophe dans le ménage. Je veux simplement faire remarquer que le *désir* d'exclusivité sexuelle est tout à fait compréhensible et qu'il n'est en rien la manifestation d'une névrose ou les séquelles d'un conditionnement démodé.

En même temps, nous sommes des êtres sexués et nous ne cessons pas de l'être quand nous devenons amoureux, fort heureusement d'ailleurs. On n'est pas frappé de cécité face au reste du monde parce qu'on est amoureux, même si c'est parfois le cas au tout début d'une relation. On n'oublie pas, on ne reste pas insensible au charme des autres. Parfois ce charme attise un désir et il nous appartient de le satisfaire ou de le rejeter. Il faut cependant être conscient que de tels désirs existent et qu'ils se manifesteront.

Plus on est sûr de soi, plus on est sûr d'être aimé, plus on accepte facilement les désirs occasionnels de l'autre. Nous ne sommes pas obligés de nous en réjouir mais pas contraints non plus d'en faire un drame. D'un autre côté, si nous doutons de nous et si nous doutons profondément de l'amour de notre partenaire, toute attirance sexuelle de sa part provoque en nous de l'angoisse qui peut aller jusqu'à la panique. Nous n'attendons qu'une chose, que l'épée de Damoclès que nous avons nous-même suspendue au-dessus de notre tête tombe.

Si l'on voit les choses de manière réaliste, il apparaît clairement que c'est après quarante ans que l'on envisagera des relations "exclusives" et non avant. Lorsque les gens ont trente ans et qu'ils tombent passionnément amoureux, ils ont déjà une certaine expérience sexuelle derrière eux. Il y a donc de meilleures chances pour qu'ils aient déjà satisfait leur curiosité dans ce domaine. Ils seront plus enclins à choisir l'exclusivité sexuelle comme forme dominante de leur relation.

Lorsque les gens se marient dans la vingtaine, ils optent plus facilement pour la non-exclusivité, comme nous l'avons déjà remarqué. À vingt ans, on n'a pas acquis la même expérience et l'on n'est pas encore mûr pour s'engager pour la vie. Même si le choix du partenaire s'avère adéquat, satisfaisant et avisé, on n'échappe que rarement au processus normal de croissance de changement et d'évolution qui génère alors de nouveaux besoins et de nouveaux désirs.

Pour être tout à fait clair, disons que si notre espérance de vie était de mille ans, il serait inconcevable de s'engager envers une seule personne pour la vie. On choisirait un(e) partenaire pour une partie du voyage. Il est donc délicat de fixer une limite rigoureuse à la durée d'un engagement sentimental.

Je n'ai nullement l'intention de nier qu'il existe des gens qui, s'étant mariés à vingt ou trente ans, restent unis toute leur vie, qu'ils sont heureux et qu'ils ne changent pas de partenaire sexuel. Ce que je tiens à dire ici, c'est qu'il existe d'autres alternatives et que, hormis le mariage à vie, il y a un salut.

Voyons à présent quelques-unes des raisons qui poussent certaines personnes engagées dans une relation importante à avoir des liaisons. Je ne parlerai pas des relations où tout amour, tout engagement est absent.

Une idée très répandue, quoiqu'erronée, veut que l'on ait des relations sexuelles en dehors du couple parce qu'on est frustré avec son partenaire. C'est parfois le cas, mais ce n'est absolument pas une règle absolue. Bien des gens ont des "aventures" avec des personnes qu'elles considèrent beaucoup moins attrayantes ou moins excitantes que leur conjoint(e). Il s'agit souvent d'un désir de nouveauté.

Lorsqu'on se marie très jeune, sans grande expérience, on se demande souvent avec une certaine inquiétude si l'on n'est pas passé à côté de beaucoup de choses. On est curieux de savoir ce qui se passe ailleurs et c'est souvent la cause de liaisons ou d'aventures.

On peut dire qu'indépendamment de l'âge ou de l'expérience acquise, l'aventure vient souvent nous sortir d'un quotidien ennuyeux, répétitif, où jamais rien n'arrive. Elle vient aussi nous consoler d'une frustration d'ordre professionnel.

On peut résumer et dire que le besoin d'aventure provient de l'envie de stimulations nouvelles et d'un autre type d'excitation. Mais il ne faut pas prendre l'ennui et le désir de changement pour les causes générales de cette quête. Car il existe d'autres motifs que nous allons énumérer ici.

On veut se prouver que l'on est encore séduisant; on a besoin de gratification.

On désire se retrouver avec une nouvelle personne qui ne sait rien de notre passé, pour laquelle nous sommes frais et neuf.

On a été blessé par son conjoint; on cherche dans l'aventure une certaine forme de revanche.

On se fait manipuler par quelqu'un dont le scénario de vie consiste à avoir un partenaire "infidèle", "méchant", qui "trahit"; on n'a pas conscience de la manipulation sur le moment.

On se sent seul, parce que son conjoint est parti pour quelque temps.

On rencontre quelqu'un qui correspond à un rêve de jeunesse, qui est le portrait de celui ou de celle qu'on n'a jamais pu connaître. La tentation peut être irrésistible.

Une rencontre nous fait vibrer comme jamais auparavant. On découvre alors de nouvelles possibilités; des portes inconnues jusqu'alors semblent s'ouvrir sur tous les plans, même si la motivation n'est pas suffisante pour nous faire quitter notre conjoint.

Mon but n'est pas d'établir ici quels sont les "bons" et les "mauvais" motifs, mais de les énumérer simplement et de montrer qu'on ne peut pas tout attribuer au désir de nouveauté.

Une chose est claire: il est erroné de croire que, si deux personnes s'aiment "vraiment", il est mathématiquement impossible qu'elles aient des relations sexuelles avec quelqu'un d'autre.

Certaines personnes se sentent beaucoup plus à l'aise que d'autres face à l'exclusivité sexuelle. Certaines personnes seraient incapables de rester "fidèles", bien que leur amour soit authentique. Il est difficile de comprendre toutes les raisons de cette psychologie et de ces comportements différents.

Ce qui est certain, c'est que ni l'approbation morale, ni la condamnation, ni les recommandations universelles n'ont de valeur dans ce domaine.

On peut souhaiter ne pas connaître ce genre de problèmes au cours de son mariage. On peut espérer que cela n'arrive pas et il se peut qu'il en soit ainsi. Cependant, le cas échéant, il ne faut jamais en faire une catastrophe; il ne faut pas dramatiser, ni en conclure que l'amour s'en est allé et que la relation est terminée.

J'ai connu des cas où une liaison a en fait renforcé la relation et des cas où, au contraire, cela a marqué le terme d'une union. Chaque situation est spécifique; on ne peut donc pas généraliser.

Je crois pour ma part que personne ne peut nier le fait qu'une liaison menace forcément une union. Lorsqu'on ouvre une porte, lorsqu'on franchit le seuil, on ne peut être certain de ce que l'on trouvera. N'ignorons pas l'évidence: lorsque notre partenaire a des rapports sexuels avec quelqu'un d'autre, nous nous sentons blessés et une trop forte accumulation de chagrin peut provoquer la mort de l'amour. Cela ne veut pas dire pour autant que le couple se séparera. Il subsistera, mais probablement sur des bases différentes. Le caractère de la relation aura changé. Une nouvelle façon de vivre n'excluera sans doute pas l'amour, mais ce ne sera plus l'amour romantique, car la flamme sera éteinte.

Et pourtant... Je pense à un couple qui a eu la sagesse et la perspicacité de regarder clairement la situation en face et de s'apercevoir qu'une liaison venait en fait d'une série de problèmes qui n'avaient jamais été résolus dans la relation. Les conjoints virent que le moment était venu de rassembler tout leur courage, toute leur sagesse et de se battre pour sauvegarder leur amour et non l'abandonner. Ils se rendirent compte que l'essentiel était de comprendre *pourquoi* ils en étaient arrivés là. Dans leur cas, ce fut un succès et leur relation retrouva sa force et sa vie.

Si notre partenaire fait l'amour avec quelqu'un d'autre, il est compréhensible que nous ressentions de la peine et de la colère. Peut-être avons-nous peur, peut-être nous sentons-nous menacés. Quels que soient nos sentiments, nous devons comprendre qu'il serait préjudiciable de vouloir exercer un contrôle sur notre partenaire, de le culpabiliser et de lui faire des reproches. Attaquer est une impulsion naturelle. Cependant, si l'on désire préserver l'amour, il faut bien reconnaître que ce n'est pas la bonne tactique. Il est tout aussi aliénant et malhabile de feindre l'indifférence. Nul besoin de mensonges ici, mais de compréhension et d'un effort de communication.

Certains couples acceptent de faire face à la situation et en parlent à condition qu'on se dise "tout". D'autres préfèrent la discrétion, le silence. Ils s'entendent et acceptent que de telles aventures aient lieu mais demandent à l'autre de ne rien leur dire à ce sujet. Ces deux conduites comportent leurs risques spécifiques.

Quelle que soit la décision prise par le couple, elle aura ses conséquences. Il arrive que des gens commencent par une conduite particulière et, se rendant compte qu'elle ne leur convient pas, en adoptent une nouvelle. L'essentiel est à mon sens d'être honnête autant face à son partenaire que vis-à-vis ses propres sentiments, ses préférences et ses actes. Il ne faut mentir ni à soi-même ni à l'autre. C'est selon moi la seule façon de découvrir ce qui nous convient.

Je suis personnellement convaincu que la pratique continuelle du mensonge est un véritable poison. C'est une habitude aliénante qui crée des murs, des barrières.*

Nous assistons de nos jours — fort heureusement — à des changements. Les gens semblent ne plus supporter le mensonge et désirent de plus en plus que tout soit dit au grand jour.

Il semble clair que de moins en moins de couples sont prêts à vivre sur la base de l'exclusivité sexuelle et à s'engager dans cette voie toute leur vie. Hommes et femmes auront besoin de sagesse au tout début de leur relation pour faire face à la situation avec honnêteté et élaborer un mode de

---

* Il est très délicat de traiter un tel sujet, car chaque mot peut être mal interprété. Par exemple, je viens de mettre l'accent sur l'importance de l'honnêteté. Cependant, il existe des individus qui, lorsqu'ils ont eu une aventure, se précipitent chez eux pour raconter minute par minute le déroulement de la scène, n'épargnant aucun détail à leur conjoint, comme si ce dernier était leur père ou leur mère capable de donner leur bénédiction. Si on leur faisait remarquer l'ambiguïté de leur comportement, ils insisteraient sur le fait qu'ils ne font en somme qu'appliquer le principe de l'honnêteté.

vie acceptable et viable pour chacun. Idéalement, c'est *avant* qu'il ne se passe quelque chose que l'on devrait fixer les règles du jeu.

Je ferai ici une remarque qui a son importance.

Les liaisons jouent parfois un rôle assez spécial: elles rendent les mariages *supportables*. Cela se produit très fréquemment. Elles empêchent les partenaires de faire face à la douleur et aux frustrations de leurs relations passées; ces aventures ne sont pas une solution mais une sorte d'analgésique. Tous ceux qui sont tentés par des relations extra-conjugales doivent se demander si leur mariage serait viable sans elles.

Il est toujours facile d'affirmer que l'exclusivité sexuelle représente la seule et unique façon de vivre, ou encore que les relations "ouvertes" sont les seules valables. Chaque situation est complexe et reflète l'immense diversité de la nature humaine.

Il n'existe donc pas de réponse toute faite.

La jalousie

Ceci nous amène tout naturellement à parler du problème de la jalousie en amour.

Il s'agit tout d'abord de comprendre que sous le terme de *jalousie* sont regroupés une variété d'états émotionnels qui sont très différents les uns des autres: c'est le chagrin que l'on ressent lorsqu'on apprend que son conjoint a fait l'amour avec quelqu'un d'autre, les soupçons quasi hystériques de celui qui guette, qui épie les moindres signes sans aucune raison valable, c'est la possessivité, qui frise l'angoisse, de l'individu qui ne peut supporter que son partenaire apprécie ou aime côtoyer quelqu'un d'autre, qu'il soit homme ou femme.

Dans le contexte de l'amour romantique et de la sexualité, on entend par jalousie les sentiments d'anxiété et de peur, les fantasmes de rejet ou d'abandon et très souvent la rage qui s'empare de quelqu'un qui voit ou imagine que son conjoint éprouve de l'intérêt pour quelqu'un d'autre.

Certains disent que la jalousie quelle qu'elle soit est un sentiment irrationnel. Je ne suis pas de cet avis. Les émotions ne sont ni rationnelles, ni irrationnelles. Les êtres humains, les pensées le sont, mais les émotions, elles, se contentent *d'être*. On pourrait être tenté de dire que la jalousie est effectivement irrationnelle lorsqu'elle ne repose sur rien de réel. Si l'on veut être précis, on dira que ce n'est pas tant la jalousie éprouvée qui est irrationnelle, mais le processus mental qui lui a donné naissance.

Parfois, les gens sont jaloux parce qu'ils doutent profondément d'eux-mêmes et qu'ils vivent constamment dans l'angoisse d'être rejetés ou abandonnés. Parfois, la jalousie naît de leur sentiment d'être ignorés ou négligés par leur partenaire et du fait de voir que ce dernier prodigue à d'autres l'attention dont ils manquent tant. Parfois elle naît dans une nouvelle relation, à cause d'expériences douloureuses vécues antérieurement. Elle survient parce que l'un des partenaires ignore l'intérêt qu'il porte sexuellement à d'autres personnes et le projète sur son partenaire. La jalousie provient parfois d'une appréhension généralisée qui veut que le bonheur soit détruit d'une façon ou d'une autre. Elle peut naître d'une angoisse provoquée par une liaison connue du partenaire.

Il est évident que la jalousie peut faire du tort à l'amour romantique. Il s'agit de savoir comment la maîtriser lorsqu'elle apparaît.

Lorsqu'on est jaloux, on adopte un comportement assez typique: colère, larmes, accusations, "meurtre de l'image du partenaire". Tout ceci tend à provoquer une attitude de défense et de contre-attaque. Les cris, les dénégations, les mensonges ou les silences pleins de haine prennent alors la place d'une vraie communication.

Lorsqu'on se sent jaloux, on est rarement honnête face à ce que l'on éprouve. Prenons l'exemple d'une femme qui voit son mari flirter avec une autre lors d'une soirée. Il y a neuf chances sur dix pour qu'elle devienne hostile, amère, et qu'elle accuse son mari; il y a tout à parier qu'elle ne lui dira pas: "En te regardant, je me suis sentie un peu anxieuse. J'avais peur que tu me quittes." Si cette femme parlait ainsi à son mari, elle ferait appel à sa confiance; elle ne le traiterait pas en ennemi. Elle prendrait la responsabilité de ses sentiments. Elle aurait fait ce qu'elle devait pour créer un contexte où il soit possible de parler *amicalement*. Si le mari ne se sent pas attaqué, il n'aura pas à se défendre. Il pourra essayer lui aussi d'être sincère quant à ses sentiments. S'il y a un problème, ils pourront ensemble y faire face.

Parfois, lorsqu'on admet honnêtement sa jalousie, quand on parle en fait de son angoisse d'être abandonné, les sentiments douloureux ont tendance à s'atténuer et à disparaître. Chacun doit apprendre l'art d'approfondir ses sentiments, d'oser aller jusqu'à la peur et d'avoir même le courage de revivre des souvenirs d'abandon. Si, dans l'exemple que je viens de donner, le mari se sentait attiré par l'autre femme, il serait beaucoup plus gentil de l'admettre franchement. S'il nie ce que sa femme a très clairement perçu, il ne fait qu'intensifier son angoisse et son sentiment d'être trompée. Inévitablement, sa jalousie s'accentue.

Bien des épouses m'ont dit: "Ce n'est pas le fait que mon mari soit attiré par d'autres qui m'ennuie. Je suis capable de l'accepter. C'est le fait qu'il ne veut pas l'admettre et qu'il continue à mentir. Cela me rend folle."

Il est un principe indiscutable: si nous voulons minimiser les problèmes de jalousie chez notre partenaire, nous ne devons jamais lui donner des raisons de douter de notre honnêteté. Nous ne devons ni ignorer ni refuser de parler de ses sentiments douloureux.

Il faut toujours aller "en dessous" de la jalousie. Ceci est très important si notre partenaire a une liaison ou est sur le point d'en avoir une. Nous devons remonter aux racines de notre sentiment, le vivre, y faire face, en parler. Il ne faut pas rester "en surface" car cela ne mène nulle part.

Je me souviens avoir reçu un couple en consultation. La femme se plaignait que depuis des mois son mari était jaloux. La discussion tournait autour du fait de savoir si la jalousie était raisonnable ou non. Lorsqu'il apprit à arrêter de parler de la jalousie en général et de parler de son vécu, de sa peur de perdre sa femme, une porte s'ouvrit. Elle l'entendait pour la première fois. Elle se sentait aimée. Elle reconnut alors que ses flirts étaient assez extravagants et décida d'y mettre un terme.

Dans la vie, nous sommes confrontés à des problèmes qui n'ont pas nécessairement de solutions faciles. Il arrive que l'un des conjoints se sente très sérieusement attiré par quelqu'un d'autre; on ignore comment l'histoire se terminera. Il est probable qu'on éprouvera du chagrin et de l'angoisse. Il est très difficile dans ce genre de situations d'être honnête par rapport à ses sentiments. On a plutôt tendance à attaquer et à condamner. Bien sûr, on n'est pas obligé d'accepter la situation; c'est une question de choix. Personne ne peut nous dire ce qui est tolérable.

Il n'y a pas de règle dans ce domaine. Il arrive que, voyant le chagrin qu'il cause à l'autre, un partenaire décide de mettre fin à son aventure, mais ce n'est pas toujours le cas. Qui peut dire qu'il ou elle doit ou devrait y mettre fin? Je ne crois pas personnellement que quiconque soit autorisé à émettre de tels jugements.

Voyons à présent ce qui se passe lorsqu'on est jaloux en l'absence de toute provocation, si l'on a des soupçons que rien ne semble justifier. Il est possible que l'on ressente inconsciemment une provocation réelle et que l'on ait enregistré le "signal". Il se peut aussi que l'on refuse ses impulsions sexuelles et qu'on les attribue à son partenaire. C'est le mécanisme bien connu de la projection. Un jaloux chronique sans raison apparente devrait se demander s'il n'a pas envie d'avoir des aventures.

La jalousie est parfois ressentie comme une véritable attaque contre l'estime de soi, contre le sens qu'on a de sa propre valeur. On pourrait dire que plus on est sûr de soi, moins on est enclin à éprouver de la jalousie.

Ce n'est là qu'une interprétation réductrice de ce sentiment. Car quel nom donner au chagrin que ressentent les personnes les plus sûres d'elles-mêmes lorsque l'être aimé a des relations sexuelles avec quelqu'un d'autre? On peut ressentir cette douleur sans douter de soi un seul instant.

N'ignorons pas un fait évident: il est possible, par la nature même de la vie, que notre partenaire tombe amoureux de quelqu'un d'autre. Et c'est faire preuve d'une maturité assez unique que de ne pas ressentir cela comme une perte. Les sentiments de perte sont très douloureux. On peut les accepter — on ne veut pas sombrer dans la folie ou devenir irrationnel — mais ils *sont* douloureux; c'est la réalité.

S'il m'arrive, à moi ou à mon partenaire, d'éprouver de la jalousie, pour quelque raison que ce soit, et si nous essayons de partager nos sentiments honnêtement, ouvertement et sans culpabilité, si l'autre m'écoute avec respect et tolérance, s'il me répond avec franchise, on peut dire que l'on adopte là la meilleure tactique pour sauvegarder la relation. Par contre, si nous renions ou récusons nos sentiments les plus profonds, si nous refusons de reconnaître notre angoisse latente, si nous nous en tenons au superficiel, si l'autre refuse d'entendre notre cri de douleur, refuse de le respecter ou y répond malhonnêtement, la relation est en train d'être sabotée et l'amour romantique peut en mourir.

Les enfants et l'amour romantique

Comme nous approchons de la fin de notre discussion sur les défis de l'amour romantique, il me semble opportun de dire quelques mots sur la question des enfants et de leur impact sur une relation amoureuse.

Il est à présent clair que la vision de l'amour romantique qui a été présentée dans cet ouvrage dépasse de beaucoup le concept de l'amour tel que compris dans la culture occidentale. Bien qu'il tire ses racines de la tradition occidentale de l'individualisme et de l'universalisme, il est bien loin de l'idéal d'une maisonnette recouverte de vigne vierge dont les pièces résonnent de mille cris d'enfants. Il est loin d'une part de la version plus "apprivoisée" de l'amour romantique et, d'autre part, de la version idéalisée.

Je n'ai pas encore parlé des enfants ou de la famille. La raison en est que j'ai voulu mettre l'accent sur la dynamique psychologique entre un homme et une femme.

Il est vrai que les enfants peuvent être une expression d'amour merveilleuse entre deux êtres. Il est également vrai qu'ils peuvent avoir une influence catastrophique.

Si je ne m'attarde que sur ce second aspect, c'est parce que nous savons tous quel bonheur peut offrir un enfant. Qui peut nier la joie de créer une nouvelle vie et de la voir grandir?

Tout d'abord, comme le montrent des études récentes, de nombreuses mères interrogées ont déclaré que "si c'était à refaire", elles n'auraient pas d'enfants. On est à peine surpris par cette réponse: j'ai eu maintes fois l'occasion d'entendre ces réflexions au cours de mes séances de psychothérapie. Une fois que les enfants sont nés, on s'y attache et on les aime bien sûr, mais cela n'empêche pas bien des femmes de ressentir que si elles avaient su ce qui les attendait, elles auraient eu une vie toute différente, plus gratifiante, et elles n'auraient pas eu d'enfants.

Au cours des années, j'ai interrogé de nombreuses femmes. À la question: "Estimez-vous que le fait d'avoir des enfants a contribué positivement à votre mariage ou à votre relation?", la grande majorité a répondu qu'avoir des enfants constituait pour elles et leur mari un obstacle au romantisme de leur union, mis à part le côté positif d'être parent. Maternité et paternité sont fréquemment ressentis comme un obstacle que l'amour doit surmonter.

Et pourtant, la majorité des femmes sont élevées avec l'idée qu'elles joueront un rôle de mère et d'épouse. On continue à leur donner une éducation qui les définit uniquement en termes de "relation à un homme ou un enfant". Dans les deux cas, on associe la "féminité" au "service". Comme il est normal de vouloir être "féminine", il est très facile de tomber dans la mystification de la maternité, l'appât étant la normalité et l'estime de soi.

Il en ressort le paradoxe suivant: être "féminine", suivant cette définition, c'est placer aux antipodes sa propre capacité de vivre un amour romantique.

En d'autres termes, la chose la plus importante qu'une femme doive apprendre dans ce domaine, c'est qu'elle a le droit d'exister. C'est là l'essentiel. Elle a le droit d'exister et elle est responsable de sa vie. Une femme est un être humain, non une génératrice ou une pondeuse dont la destinée est de servir les autres. Les femmes doivent apprendre un égoïsme intelligent et éclairé. Il n'y a rien de merveilleux ni de noble dans le sacrifice de soi et dans l'annihilation de sa personne. Si l'on veut servir la cause de l'amour, sans parler de celle du bonheur individuel, il faut absolument comprendre ce principe (que l'on désire ou non avoir des enfants).

L'immense majorité des femmes qui travaillent avec moi en thérapie m'ont avoué qu'elles ont dû lutter très fort pour se persuader qu'elles possédaient "l'instinct maternel" afin de se sentir "vraiment femmes". Puis, après avoir mis au monde trois ou quatre enfants, elles se sont retrouvées face à l'absurdité d'une telle croyance qui n'avait rien à voir avec leur expérience.

Rappelons-nous que la vie consiste à faire des choix. Chacun de nous possède beaucoup plus de possibilités et d'impulsions qu'il ne pourra en réaliser et en actualiser. Même s'il existe un certain nombre de pulsions dites maternelles, cela ne veut pas dire qu'il faille y obéir à la lettre. Par exemple, nous faisons sans doute tous l'expérience de l'attirance sexuelle dans de nombreux cas. Et pourtant, nous ne faisons pas l'amour chaque fois que nous sommes attirés par quelqu'un. Nous opérons une sélection. Nous évaluons nos buts à long terme ou du moins, c'est ce que nous devrions faire.

Il est une question essentielle à laquelle il nous faut répondre: "Quel rôle joueraient des enfants dans ma vie, par rapport à mes objectifs? Suis-je prêt à donner ce qu'il faut pour l'éducation de mes enfants?" Réfléchissons à tout ce que les femmes sacrifient en créativité, en indépendance, en épanouissement, au nom de la sacro-sainte "envie d'être mère".

Si l'on considère l'impact des enfants sur une relation, il faut mentionner un fait: les couples sont capables de prendre beaucoup de risques pour ce qui a trait à leur évolution et leur développement mais cela devient beaucoup plus difficile lorsqu'ils ont des enfants. On peut par exemple abandonner un travail ennuyeux et se donner une nouvelle chance plus facilement si personne n'est à notre charge et si on est entre adultes qui s'assument. Que se passe-t-il lorsqu'on a des enfants? La situation est totalement renversée. On passe ainsi à côté de multiples possibilités, on met son évolution et sa croissance "de côté" pour le bien-être des enfants. Il arrive un jour où on a l'impression que les charges et les responsabilités ont alourdi notre existence, l'ont rendu terne et on peut affirmer que l'amour romantique a payé pour les pots cassés.

Les études à ce sujet démontrent que, contrairement au mythe fort répandu, les enfants n'aident pas à la bonne entente d'un couple mais ont tendance à rendre le mariage plus difficile. Le problème majeur qui se pose au couple qui désire avoir des enfants est de parvenir à sauvegarder une relation romantique dans le contexte d'une famille élargie. On a également vu que les heurts entre époux ont tendance à augmenter à la naissance du premier enfant et que la relation tend à s'améliorer une fois le dernier enfant parti de la maison.

Autre problème qui se pose au couple amoureux: un des partenaires désire des enfants, l'autre s'y refuse. Il est évident qu'il vaut mieux résoudre ce genre de problèmes avant de se marier. Un de mes amis psychothérapeute conseille aux gens qui viennent le voir d'imaginer comment ils seront dans cinq ans, une fois mariés. Il leur demande de se représenter quelle vie ils auront, cet exercice se faisant d'abord séparément, puis en confrontation. Cela permet aux fiancés de découvrir que leurs objectifs sont parfois totalement opposés. Il s'agit alors de négocier ces différences si l'on ne veut pas s'exposer à l'échec de l'amour.

Il est facile de comprendre que deux personnes qui s'aiment aient le désir de créer un enfant. Mon propos n'est absolument pas de dissuader quiconque a envie d'avoir des enfants. Mon propos est de mettre en garde contre le fait d'avoir des enfants par routine, par respect aveugle des traditions, par sens du devoir, par besoin de prouver sa féminité ou sa virilité. Je suis contre le fait de faire des enfants sans être conscient de l'impact que cela a sur l'amour romantique.

Pour conclure, je voudrais dire l'admiration que je porte à ces femmes et ces hommes qui, ayant choisi librement d'avoir des enfants, parviennent à préserver l'intégrité de leur relation amoureuse malgré leurs tâches de parents. Réussir à mener tout cela de front n'est pas facile.

Garder un certain recul face à sa vie

Pour vivre, l'amour romantique requiert deux conduites, deux attitudes qui peuvent sembler contradictoires. Il s'agit d'une part de savoir vivre dans le présent et, d'autre part, de savoir garder un certain recul face à sa vie et ne pas se perdre dans les épreuves matérielles qui peuvent surgir très rapidement. On s'aperçoit qu'il n'y a en fait pas de contradiction entre ces deux attitudes: on reconnaît l'utilité de voir à la fois les arbres et la forêt.

Il arrive aux couples de se disputer, de se sentir aliénés. Il arrive que notre partenaire nous blesse ou nous exaspère. Il nous arrive d'avoir terriblement envie de solitude. Toutes ces réactions sont normales et courantes. Aucune ne représente une menace directe pour l'amour romantique.

Une des caractéristiques de l'amour mature est de savoir que l'on peut aimer profondément l'autre tout en vivant des moments de rage, d'ennui, d'aliénation, sans que la force de notre relation ne soit remise en question à chaque instant. Il existe dans un couple un équilibre, une sérénité fondamentale qui fait que l'histoire que chacun vit avec l'autre ne risque pas d'être anéantie par la pression des ennuis quotidiens. Nous avons de la mémoire. Nous avons la possibilité de prendre du recul. Nous ne définissons pas l'autre en nous basant sur ses réactions immédiates.

Par contre, l'immaturité se caractérise par une incapacité à tolérer une querelle, une frustration, un conflit ou une difficulté passagère et le fait d'en conclure que c'est la fin de la relation. Certains couples semblent décider de rompre plusieurs fois par mois. Ils sont incapables de prendre du recul, de se détacher des problèmes immédiats; ils n'ont pas une vision très large de leur situation. Ainsi leur vie, leurs relations, leur mariage sont toujours au-dessus d'un gouffre. Un tel contexte n'est bien sûr pas favorable à la croissance de l'amour. Celui-ci s'éteindra tôt ou tard.

Il s'agit d'être capable d'extrapoler, de prendre le recul nécessaire, de voir sa vie et son partenaire non pas de façon étroite, mais dans une perspective large et adulte.

C'est ainsi que les moments difficiles peuvent renforcer une relation amoureuse.

Je me rappelle qu'un homme très amoureux de sa femme m'a dit ces mots merveilleux: "Même lorsqu'elle est vraiment à bout à cause de moi — et tu devrais voir son regard! — son visage me dit, me montre qu'elle m'aime et qu'elle ne l'oublie pas, même dans ces moments-là. Je suis très heureux, car l'autre jour elle m'a dit que c'était la même chose pour elle. Elle m'a dit que mes yeux lui disaient toujours mon amour, même dans des situations de conflits."

C'est bien là un des secrets les plus rajeunissants pour une relation sentimentale.

Le défi final : le désir de permanence et les changements inévitables

Lorsqu'à vingt ou trente ans, hommes et femmes entament une carrière qu'ils ont l'intention de poursuivre toute leur vie, ils se disent rarement que les quarante ou cinquante années à venir ne seront qu'une succession de succès et de triomphes. S'ils sont un tant soit peu matures, ils savent bien qu'ils connaîtront des hauts et des bas, des déviations inattendues, des problèmes, des défis, des crises occasionnelles et des jours où ils s'éveilleront en se demandant pourquoi ils ont choisi cette carrière et si leur choix était le meilleur.

Par contre, lorsque des hommes et des femmes entreprennent ce voyage qu'on appelle mariage (ou toute relation sérieuse), ils ont tendance à faire une évaluation beaucoup moins réaliste concernant les difficultés et les défis qui jalonneront leur chemin. Prendre la décision de se marier, c'est, rationnellement, décider de partager une aventure, choisir de ne pas s'enfermer dans son cocon ou dans un monde imaginaire, paradisiaque. Car tout paradis est artificiel.

L'amour est la condition nécessaire d'une union heureuse mais, comme nous l'avons vu, c'est loin d'être la seule.

Le désir de permanence, particulièrement lorsqu'on est heureux, le désir de conserver et de préserver l'instant est parfaitement compréhensible; mais cela est impossible. Non pas parce que l'amour n'a aucune permanence — il peut être la chose la plus durable de notre existence — mais à cause du changement et du mouvement inhérents à la vie et à l'univers qui nous entoure.

Quelqu'un a dit que toute relation devrait être redéfinie environ tous les cinq ans. Ce peut être tous les sept ou huit ans, mais le principe est juste.

De la même façon que l'être humain se transforme et évolue à travers divers stades de développement, les relations se transforment. Dans un cas comme dans l'autre, chaque stade comporte ses propres difficultés et ses propres réussites. Lorsqu'une nouvelle relation se forme, il y a l'excitation et la stimulation de la nouveauté; il y a aussi l'angoisse de ne pas savoir si la relation se développera et restera au premier plan. Plus tard, la sécurité et la stabilité remplacent l'enthousiasme de la nouveauté, puis vient la sérénité que donne la résolution des problèmes, la compréhension et la joie de découvrir que *l'harmonie contient ses propres émois.*

Parfois et particulièrement lorsque des problèmes doivent être débattus dans une relation, on se détourne du présent pour se replonger dans le passé pour essayer de revivre des moments disparus à jamais. Un homme rêve du temps où sa femme était heureuse du seul fait de l'aimer; pourquoi a-t-elle soudain décidé de reprendre ses études? Qu'est-il arrivé à la jeune fille qu'il a épousée? Au lieu d'accueillir avec joie ce processus de croissance, au lieu de voir que lui aussi doit continuer à évoluer, il lutte contre le processus, il lui résiste, il se fait l'ennemi de l'évolution de sa femme. Qu'il parvienne à détruire sa confiance et ses ambitions et qu'elle abandonne ses études, ou qu'il la fasse fuir par son manque de respect par rapport à ses besoins, leur amour est détruit et leur mariage aussi.

Parfois un couple se sépare, non à cause d'un problème de croissance, mais parce que l'un des partenaires a opposé une résistance au processus. L'un des deux a tenté d'immortaliser un moment déjà disparu. L'un des deux a manqué de souplesse et de confiance en soi et n'a pas permis qu'un changement se produise. Il a refusé de suivre le courant et n'a pas voulu découvrir les nouvelles possibilités qui s'offraient à eux deux.

Un homme qui a travaillé quinze ans au même endroit décide soudainement — ou pas — qu'il est insatisfait, qu'il s'ennuie, qu'il n'est pas épanoui. Il recherche un nouveau défi. Sa femme est subjuguée; elle a peur. Que va-t-il se passer? Auront-ils la même sécurité matérielle? Pourquoi ne voit-il plus leurs amis? Pourquoi lit-il autant de livres? Est-ce qu'il va aussi la tromper? Elle panique. Lorsqu'il tente de lui expliquer ses motifs, elle ne l'écoute pas. Terrifiée de perdre ce qu'elle a, elle va tout gâcher.

Un homme se plaint que sa femme est une vraie tête de linotte, qu'elle n'est même pas capable de tenir ses comptes. Il l'aime, dit-il, mais comme il souhaiterait qu'elle soit plus mûre! Un changement survient; par un mystérieux concours de circonstances, elle devient effectivement plus responsable. Elle s'intéresse à ses affaires, lui pose des questions intelligentes et décide de lancer une affaire à son compte. Il est effondré; qu'est-il arrivé à la merveilleuse petite fille avec qui il était si heureux? Elle le regarde et voit son ennemi. Elle veut son amour, elle veut sauvegarder leur mariage, mais elle veut aussi être elle-même. Doit-elle régresser — et détester son mari pour le restant de ses jours? Doit-elle continuer à se battre pour son propre développement — et l'éloigner d'elle à jamais?

Voilà le genre de décisions difficiles et douloureuses que bien des couples doivent prendre.

Toute relation fonctionne suivant un système. Dans tout système, lorsqu'une des composantes change, c'est tout le reste qui doit changer; sinon, l'équilibre est perdu. Si un partenaire s'épanouit et si l'autre oppose une résistance, il y a déséquilibre — puis crise, puis résolution du problème: le divorce, ou pire, un lent processus de désintégration fait d'amour agonisant, d'angoisse et de haine.

Si nous avons confiance en nous, si nous sommes assez sages pour être l'ami de la croissance de notre conjoint et de son évolution, le changement ne nous effraie pas. Mai si nous nous y opposons, nous suscitons un drame.

Et du même coup, si nous tentons de protéger notre relation en restreignant notre épanouissement, nous suscitons aussi un drame. Nous enlevons à notre relation et à notre être toute *vie*.

La vie est mouvement. Ne pas bouger, ne pas avancer, c'est reculer. La vie demeure la vie tant que l'on avance. Si je n'évolue pas, je me sclérose. Si ma relation ne s'améliore pas, elle empire. Si moi ou mon partenaire n'évoluons pas ensemble, nous mourons ensemble.

L'immobilité est impossible. On peut vivre l'instant, on ne peut pas le retenir. Il faut vivre aujourd'hui, maintenant, ressentir, puis lâcher prise et aller de l'avant, à la rencontre de nouvelles aventures. Et nous ne pouvons pas savoir ce qui nous attend dans le futur.

Il est évident que l'attitude dont je parle requiert une bonne dose d'estime de soi. Ici encore, nous voyons l'importance de ce sentiment en amour. C'est l'estime de soi qui nous donne le courage de nous battre pour notre évolution et non contre. *Et l'exercice du courage renforce à son tour notre confiance et notre estime de nous-même.*

Notre plus grande chance de connaître la permanence réside dans notre capacité de changement. L'amour a toutes les chances de durer s'il ne s'oppose pas au flux de la vie, mais si au contraire il sait s'y joindre.

Si moi et mon partenaire nous sentons que nous sommes vraiment les amis de notre évolution, cela crée un autre lien encore, une force de plus pour soutenir notre amour. Si nous nous faisons l'ennemi l'un de l'autre, nous sentons très vite que notre soi est en danger.

Je pense à une femme qui a peur de tout changement dans sa vie et dans celle de son mari dont elle ne serait pas l'instigatrice. Lorsqu'elle était enfant, son père abandonna sa mère pour une autre femme et elle a conservé au plus profond d'elle cette angoisse de l'abandon. Lorsque son mari, âgé de cinquante ans, proposa certains changements relatifs à sa carrière, elle le manipula de telle sorte qu'il abandonna son projet. Elle réussit. Mais je vis quelque chose mourir en lui. Ni lui ni elle ne sauront reconnaître le processus de cause à effet, mais d'une façon ou d'une autre elle paiera cher sa "victoire". J'aurais voulu qu'elle reconnaisse son angoisse, qu'elle en parle ouvertement et qu'elle soit une meilleure complice des rêves de son mari.

L'ultime défi que pose l'amour romantique est de comprendre et de respecter notre désir de permanence tout en nous faisant les alliés du changement et de l'évolution inévitables.

Si nous avons la sagesse et le courage d'être les amis des rêves et des aspirations de notre partenaire, nous avons les meilleures chances que notre amour dure effectivement "toujours".

Épilogue: un dernier mot sur l'amour

Je ne crois pas qu'il y ait eu dans l'histoire des moments où le mot *amour* ait été employé aussi confusément qu'aujourd'hui.

On nous répète sans cesse qu'il faut "aimer" tout le monde. Les chefs de file déclarent qu'ils "aiment" les recrues qu'ils ne connaissent pas. Les passionnés d'ateliers de croissance personnelle et de groupes de rencontres sortent de leurs week-ends en déclarant qu'ils "aiment" l'univers.

Les mots comme les monnaies tendent à se dévaluer lorsqu'ils inondent le marché. Ce terme est tellement galvaudé qu'il se vide progressivement de son sens.

On peut bien sûr être bienveillant à l'égard d'inconnus. Aristote disait qu'on ne pouvait appeler cela de l'amour (c'était il y a deux mille cinq cents ans) et nous ne devrions pas l'oublier car nous risquons de provoquer la destruction du concept d'amour.

De par sa nature, l'amour entraîne un processus de sélection, de discrimination. L'amour, c'est notre réponse à ce qui représente nos valeurs les plus élevées. L'amour, c'est notre réponse aux qualités intrinsèques de certaines personnes, pas de toutes. Quel serait sinon le tribut de l'amour?

Si l'amour entre adultes n'entraîne pas l'admiration, l'appréciation de certaines qualités spécifiques, quelle est la signification de l'amour, et pourquoi serait-il désirable?

Que penser alors de cette déclaration d'Erich Fromm (1955): "Essentiellement, tous les êtres humains sont identiques. Nous faisons tous partie de l'Unité; nous sommes l'Unité. Ceci étant, il n'y a aucune raison d'aimer une personne plutôt qu'une autre."

Si nous demandions à notre amant pourquoi il nous aime, quelle serait notre réaction s'il répondait: "Pourquoi ne t'aimerais-je pas? Nous sommes tous identiques. Alors, la personne que j'aime n'a aucune importance. Autant que ce soit toi."

Tout le monde ne condamne pas le désordre sexuel, quoique je n'aie jamais entendu quelqu'un le vanter. Qu'en est-il du désordre *spirituel*? Est-ce une vertu merveilleuse? Pourquoi? Notre esprit est-il beaucoup moins important que notre corps?*

Le moins que l'on puisse dire sur les usages courants du terme "amour", c'est que cela procède d'une inexcusable mollesse intellectuelle. Mon sentiment à ce sujet est que les gens qui parlent "d'aimer" tout le monde expriment en fait leur désir ou leur droit d'être aimés de tous. *Prendre l'amour au sérieux — particulièrement l'amour entre adultes —, traiter ce concept avec respect et le distinguer d'une bienveillance généralisée, c'est apprécier le fait que c'est l'unique expérience possible entre quelques personnes, pas entre toutes.*

Lorsqu'un homme et une femme ayant de solides affinités sur le plan spirituel se rencontrent et deviennent amoureux, ils peuvent, s'ils sont assez évolués pour surmonter les problèmes, les difficultés et les luttes décrites dans ce livre, faire que l'amour romantique devienne le chemin de leur bonheur sexuel et émotionnel, mais aussi celui de l'évolution humaine la plus élevée.

L'amour devient le contexte dans lequel se fait une rencontre continue avec le soi, par le processus de l'interaction avec un autre soi. *Deux consciences, chacune dédiée à son évolution personnelle, peuvent être source d'une extraordinaire stimulation et d'un défi pour l'autre. L'extase peut devenir une façon de vivre.*

---

* Commentant ce paradoxe, Rand (1957) écrit: "Une moralité qui professe que les valeurs spirituelles sont plus précieuses que les valeurs matérielles, une moralité qui vous enseigne à mépriser une prostituée qui donne son corps à tout le monde sans distinction, cette même moralité exige que vous livriez votre esprit à la confusion de l'amour à tout venant."

C'est cette vision des possibilités de l'amour qui a animé la réalisation de cet ouvrage.

Un jour, Devers — la femme dont je suis amoureux — me dit: "Ce que tu écris, c'est une histoire d'amour." Je pensai tout d'abord qu'elle faisait allusion à Patrecia. Puis je réalisai qu'elle voulait dire tout autre chose. Ce dont traite ce livre, c'est de mon amour pour l'amour, de mon amour pour l'expérience et l'aventure qu'il offre. En ce sens, Devers a raison: c'est une histoire d'amour.

Devers et moi nous sommes mariés il y a quelques semaines, alors que je terminais ce chapitre. Un nouveau voyage commence.

Table des matières

OUVRAGES PARUS AUX ÉDITIONS

La personne

COMMUNICATION ET ÉPANOUISSEMENT PERSONNEL
Lucien Auger (1972) *Éditions de l'Homme — Éditions du CIM*

J'AIME
Yves Saint-Arnaud (1978) *Éditions de l'Homme — Éditions du CIM*

L'AMOUR
Lucien Auger (1979) *Éditions de l'Homme — Éditions du CIM*

LA PERSONNE HUMAINE
Yves Saint-Arnaud (1974) *Éditions de l'Homme — Éditions du CIM*

S'AIDER SOI-MÊME
Lucien Auger (1974) *Éditions de l'Homme — Éditions du CIM*

SE CONNAÎTRE SOI-MÊME: CRISE D'IDENTITÉ
DE L'ADULTE
Gérard Artaud (1978) *Éditions de l'Homme — Éditions du CIM*

UNE THÉORIE DU CHANGEMENT DE LA
PERSONNALITÉ
Gendlin (Roussel) (1975) *Éditions du CIM*

VAINCRE SES PEURS
Lucien Auger (1977) *Éditions de l'Homme — Éditions du CIM*

SE COMPRENDRE SOI-MÊME
Collaboration (1979) *Éditions de l'Homme — Éditions du CIM*

LA PREMIÈRE IMPRESSION
Chris L. Kleinke (1979) *Éditions de l'Homme — Éditions du CIM*

S'AFFIRMER ET COMMUNIQUER
Jean-Marie Boisvert et Madeleine Beaudry (1979) *Éditions de l'Homme — Éditions du CIM*

ÊTRE SOI-MÊME
Dorothy Corkille Briggs (1979) *Éditions de l'Homme — Éditions du CIM*

VIVRE AVEC SA TÊTE OU AVEC SON COEUR
Lucien Auger (1979) *Éditions de l'Homme — Éditions du CIM*

COMMENT DÉBORDER D'ÉNERGIE
Jean-Paul Simard (1980) *Éditions de l'Homme — Éditions du CIM*

LA COMMUNICATION DANS LE COUPLE
Luc Granger (1980) *Éditions de l'Homme — Éditions du CIM*

SAVOIR RELAXER POUR COMBATTRE LE STRESS
Dr Edmund Jacobson (1980) *Éditions de l'Homme — Éditions du CIM*

S'AIMER POUR LA VIE
Dr Zev Wanderer et Erika Fabian (1980) *Éditions de l'Homme — Éditions du CIM*

S'AIDER SOI-MÊME DAVANTAGE
Lucien Auger (1980) *Éditions de l'Homme — Éditions du CIM*

COMMENT AVOIR DES ENFANTS HEUREUX
Jacob Azerrad (1980) *Éditions de l'Homme — Éditions du CIM*

PENSER HEUREUX
Lucien Auger (1981) *Éditions de l'Homme — Éditions du CIM*

L'ENFANT UNIQUE
Ellen Peck (1981) *Éditions de l'Homme — Éditions du CIM*
VIVRE JEUNE
Myra Waldo (1981) *Éditions de l'Homme — Éditions du CIM*

SE CONCENTRER POUR ÊTRE HEUREUX
Jean-Paul Simard (1981) *Éditions de l'Homme — Éditions du CIM*

AVOIR UN ENFANT APRÈS 35 ANS
Isabelle Robert (1981) *Éditions de l'Homme — Éditions du CIM*

LE COURAGE DE VIVRE
Docteur Ari Kiev (1981) *Éditions de l'Homme — Éditions du CIM*

SE CRÉER PAR LA GESTALT
Joseph Zinker (1981) *— Éditions de l'Homme — Édition du CIM*

Groupes et organisations

DYNAMIQUE DES GROUPES
Aubry et Saint-Arnaud (1975) *Éditions de l'Homme — Éditions du CIM*

ESSAI SUR LES FONDEMENTS PSYCHOLOGIQUES DE LA COMMUNAUTÉ
Yves Saint-Arnaud (1970) *Éditions du CIM* — épuisé

L'EXPÉRIENCE DES RETRAITES EN DIALOGUE
Louis Fèvre (1974) *Desclée de Brouwer — Éditions du CIM*

LE GROUPE OPTIMAL I: MODÈLE DESCRIPTIF DE LA VIE EN GROUPE
Yves Saint-Arnaud (1972) *Éditions du CIM* — épuisé

LE GROUPE OPTIMAL II: THÉORIE PROVISOIRE DU GROUPE OPTIMAL
Yves Saint-Arnaud (1972) *Éditions du CIM* — épuisé

LE GROUPE OPTIMAL III: SA SITUATION DANS L'ENSEMBLE DES RECHERCHES
Rolland-Bruno Tremblay (1974) *Éditions du CIM*

LE GROUPE OPTIMAL IV: GRILLES D'ANALYSE THÉORIQUES ET PRATIQUES DU GROUPE RESTREINT
Yves Saint-Arnaud (1976) *Éditions du CIM* — épuisé

LES PETITS GROUPES: PARTICIPATION ET COMMUNICATION
Yves Saint-Arnaud (1978) *Les Presses de l'Université de Montréal — Éditions du CIM*

SAVOIR ORGANISER, SAVOIR DÉCIDER
Gérald Lefebvre (1975) *Éditions de l'Homme — Éditions du CIM*

STRUCTURE DE L'ENTREPRISE
ET CAPACITÉ D'INNOVATION
André-Jean Rigny (1973) *Éditions hommes et techniques*

LA PSYCHOLOGIE: MODÈLE SYSTÉMATIQUE
Yves Saint-Arnaud (1979) *Les Presses de l'Université de Montréal
— Éditions du CIM*

Achevé d'imprimer sur les presses de
L'IMPRIMERIE ELECTRA*
*Division de l'A.D.P. Inc.

Imprimé au Canada/Printed in Canada

Ouvrages parus aux ÉDITIONS DE L'HOMME

* Pour l'Amérique du Nord seulement.
** Pour l'Europe seulement.

ALIMENTATION — SANTÉ

* **Allergies, Les,** Dr Pierre Delorme
* **Apprenez à connaître vos médicaments,** René Poitevin
* **Art de vivre en bonne santé, L',** Dr Wilfrid Leblond
* **Bien dormir,** Dr James C. Paupst
* **Bien manger à bon compte,** Jocelyne Gauvin
* **Boîte à lunch, La,** Louise Lambert-Lagacé
* **Cellulite, La,** Dr Gérard J. Léonard
  Comment nourrir son enfant, Louise Lambert-Lagacé
  Congélation des aliments, La, Suzanne Lapointe
* **Conseils de mon médecin de famille, Les,** Dr Maurice Lauzon
* **Contrôlez votre poids,** Dr Jean-Paul Ostiguy
* **Desserts diététiques,** Claude Poliquin
* **Diététique dans la vie quotidienne, La,** Louise Lambert-Lagacé
  En attendant notre enfant, Yvette Pratte-Marchessault
* **Face-lifting par l'exercice, Le,** Senta Maria Rungé

* **Femme enceinte, La,** Dr Robert A. Bradley
* **Guérir sans risques,** Dr Émile Plisnier
* **Guide des premiers soins,** Dr Joël Hartley
  Maigrir, un nouveau régime... de vie, Edwin Bayrd
* **Maman et son nouveau-né, La,** Trude Sekely
** **Mangez ce qui vous chante,** Dr Leonard Pearson et Dr Lillian Dangott
* **Médecine esthétique, La,** Dr Guylaine Lanctôt
  Menu de santé, Louise Lambert-Lagacé
* **Pour bébé, le sein ou le biberon,** Yvette Pratte-Marchessault
* **Pour vous future maman,** Trude Sekely
* **Recettes pour aider à maigrir,** Dr Jean-Paul Ostiguy
  Régimes pour maigrir, Marie-José Beaudoin
* **Soignez-vous par le vin,** Dr E.A. Maury
  Sport — santé et nutrition, Dr Jean-Paul Ostiguy

ART CULINAIRE

* **Agneau, L',** Jehane Benoit
* **Art d'apprêter les restes, L',** Suzanne Lapointe
  Art de la cuisine chinoise, L', Stella Chan
* **Bonne table, La,** Juliette Huot
* **Brasserie la mère Clavet vous présente ses recettes, La,** Léo Godon
* **Canapés et amuse-gueule**

* **Cocktails de Jacques Normand, Les,** Jacques Normand
* **Confitures, Les,** Misette Godard
  Conserves, Les, Soeur Berthe
* **Cuisine aux herbes, La,**
* **Cuisine chinoise, La,** Lizette Gervais
* **Cuisine de maman Lapointe, La,** Suzanne Lapointe
* **Cuisine de Pol Martin, La,** Pol Martin

DOCUMENTS — BIOGRAPHIES

ENCYCLOPÉDIES

LANGUE *

LITTÉRATURE *

LIVRES PRATIQUES — LOISIRS

PHOTOGRAPHIE — CINÉMA

8/super 8/16, André Lafrance

Apprenez la photographie avec Antoine Desilets, Antoine Desilets

Apprendre la photo de sport, Denis Brodeur

* Chaînes stéréophoniques, Les, Gilles Poirier

* Chasse photographique, La, Louis-Philippe Coiteux

Ciné-guide, André Lafrance

Découvrez le monde merveilleux de la photographie, Antoine Desilets

Je développe mes photos, Antoine Desilets

Je prends des photos, Antoine Desilets

Photo à la portée de tous, La, Antoine Desilets

Photo de A à Z, La, Desilets, Coiteux, Gariépy

Photo-guide, Antoine Desilets

Photo reportage, Alain Renaud

Technique de la photo, La, Antoine Desilets

Vidéo et super-8, André A. Lafrance et Serge Shanks

PLANTES — JARDINAGE *

Arbres, haies et arbustes, Paul Pouliot

Culture des fleurs, des fruits et des légumes, La

Dessiner et aménager son terrain

Guide complet du jardinage, Le, Charles L. Wilson

Jardinage, Le, Paul Pouliot

Jardin potager, Le — La p'tite ferme, Jean-Claude Trait

Je décore avec des fleurs, Mimi Bassili

Plantes d'intérieur, Les, Paul Pouliot

Techniques du jardinage, Les, Paul Pouliot

Terrariums, Les, Ken Kayatta et Steven Schmidt

Votre pelouse, Paul Pouliot

PSYCHOLOGIE — ÉDUCATION

* Âge démasqué, L', Hubert de Ravinel

Aider son enfant en maternelle et en 1ère année, Louise Pedneault-Pontbriand

Aidez votre enfant à lire et à écrire, Louise Doyon-Richard

Amour de l'exigence à la préférence, L', Lucien Auger

* Caractères et tempéraments, Claude-Gérard Sarrazin

* Caractères par l'interprétation des visages, Les, Louis Stanké

Comment animer un groupe, Collaboration

Comment déborder d'énergie, Jean-Paul Simard

* Comment vaincre la gêne et la timidité, René-Salvator Catta

Communication dans le couple, La, Luc Granger

Communication et épanouissement personnel, Lucien Auger

* Complexes et psychanalyse, Pierre Valinieff

Contact, Léonard et Nathalie Zunin

* Cours de psychologie populaire, Fernand Cantin

Découvrez votre enfant par ses jeux, Didier Calvet

* Dépression nerveuse, La, En collaboration

Développement psychomoteur du bébé, Le, Didier Calvet

* Développez votre personnalité, vous réussirez, Sylvain Brind'Amour

Douze premiers mois de mon enfant, Les, Frank Caplan

* Dynamique des groupes, J.-M. Aubry Y. Saint-Arnaud

Être soi-même, Dorothy Corkille Briggs

Facteur chance, Le, Max Gunther

* Femme après 30 ans, La, Nicole Germain